DEWCH I GRWYDRO
O AMGYLCH CESTYLL CYMRU!

Y DDRAIG YN Y CESTYLL

MYRDDIN AP DAFYDD

GWASG CARREG GWALCH

Argraffiad cyntaf: 2019
ⓗ testun: Myrddin ap Dafydd 2019
ⓗ darluniau: Chris Iliff 2019

Rhif Llyfr Safonol Rhyngwladol:
978-1-84527-681-2

Cyhoeddwyd gyda chymorth Cyngor Llyfrau Cymru
Dylunio: Eleri Owen
Darluniau: Chris Iliff
Lluniau: Gwasg Carreg Gwalch, Croeso Cymru

Cyhoeddwyd gan Wasg Carreg Gwalch,
12 Iard yr Orsaf, Llanrwst, Dyffryn Conwy, Cymru LL26 0EH.
Ffôn: 01492 642031
e-bost: llyfrau@carreg-gwalch.cymru
lle ar y we: www.carreg-gwalch.cymru

CYNNWYS

Croeso i ti, ffrind! Tyrd i ymuno â ni ar daith o amgylch cestyll Cymru. Er ein bod yn mynd ar hyd traffordd yr M4 a ffyrdd culion cefn gwlad weithiau, taith drwy amser ydi hon. Weithiau i'r de, weithiau i'r gogledd, weithiau i'r canolbarth.

Y cymeriad pwysicaf ar y daith ydi Draig Goch Mam-gu. Mae hon yn hen faner, gyda theimlad gwahanol iawn iddi i'r dreigiau cochion sgleiniog sydd ganddom ni heddiw. Hen faner liain ydi hi. Roedd Mam-gu yn ei chario ac yn ei chwifio ar Barc yr Arfau ar 13 Mawrth 1965, pan oedd Clive Rowlands yn gapten Cymru a'r tîm cenedlaethol yn trechu Iwerddon 14:8 i gipio'r Goron Driphlyg a'r Bencampwriaeth. Un o Gwm Twrch yw Clive Rowlands ond asgellwr o ogledd Cymru, Dewi Bebb, sgoriodd yr ail gais hollbwysig.

Anrheg Nadolig i ni'n dau, Gruff a Gwen – efeilliaid 11 oed – oedd yr hen Ddraig Goch. Mae Mam-gu wedi'i chadw ar hyd y blynyddoedd ac wedi creu clustog ohoni i ni'n dau.

"Ewch â hi o amgylch Cymru ac anfonwch y lluniau a'r straeon atom ni," meddai Mam-gu Nantgaredig.

"Syniad da," meddai Taid Llanberis pan welodd y glustog. "Roedd tad Dewi Bebb – Ambrose Bebb – yn hanesydd ac yn galw Cymru yn 'Wlad y Cestyll'. Wyddoch chi fod mwy o gestyll i'r filltir sgwâr yma nag yn unrhyw wlad arall yn y byd?"

I ffwrdd â ni felly. Bob yn ail y byddwn ni'n sgwennu'r blog yma – ond cofiwch ddilyn y ddau ohonom!

Nifer o ddilynwyr: 16

Gruff a Gwen
Mae 16 yn dilyn y Ddraig yn y Cestyll yn barod! A Ti!

Mam   Dad   Mam-gu   Tad-cu   Nain   Taid   Angel   Bîns   Catrin   Draig   Gwcw   Gwil   Nerys   Tracs

'Dan' oedd yr enw ar fathodyn y dyn wrth y lle talu yn y castell yma ar lan afon Gwy, reit ar ffin Cymru a Lloegr.

"Hei! Chewch chi ddim mynd â hwn'na i mewn i'r castell!" meddai, gan wneud wyneb cas a phwyntio at ein clustog Draig Goch. "Ydych chi ddim yn gwybod y rheolau? Dim Cymry yn y castell!"

Am hanner eiliad, roedden ni'n dau yn ei gredu. Yna lledodd gwên lydan ar draws ei wyneb.

"Ha! Peidiwch ag edrych mor ddifrifol! Edrychwch drwy'r ffenest acw yn y siop – ac mi welwch glamp o Ddraig Goch yn chwifio ar y tŵr. Ni'r Cymry yw perchnogion y castell erbyn heddiw. Welwch chi'r enw yma: CADW? Dyna enw'r corff cyhoeddus sy'n edrych ar ôl y cestyll a'u CADW mewn cyflwr diogel i groesawu ymwelwyr fel chi i ddod i'w gweld nhw ac i ddod yn nes at eu hanes nhw. Felly mae croeso i'r byd i gyd ddod i'n cestyll erbyn hyn – ac mae croeso i ni'r Cymry i ddod yma, hyd yn oed. Ond peidiwch ag anghofio mai cael ei godi i gadw'r Cymry draw oedd bwriad y castell yma'n wreiddiol."

Dangosodd Dan luniau a mapiau yn yr arddangosfa inni.

"Daeth y Normaniaid i dde Lloegr yn 1066 a lladd Harold, brenin y Saeson, ym mrwydr Hastings. Trechwyd Lloegr gyfan mewn pnawn. Ond yna dyma nhw'n cyrraedd Cymru. Yn 1067 roedden nhw'n croesi afon Gwy – yr afon lydan, gyflym yna o dan y castell – ac yn gwersylla yma ar ben y clogwyn. Roedden nhw wedi cael eu hewinedd i ben clogwyn o dir Cymru ac roedden nhw'n benderfynol o gadw eu gafael arno. Rhai felly oedd y Normaniaid. Y flwyddyn honno, dyma nhw'n dechrau adeiladu castell yma, a hwn oedd y castell carreg cyntaf yng Nghymru. Mae wedi'i ymestyn ar ôl hynny, yn neidr hir o gaer ar ben y clogwyn. Hwn oedd y porth i Gymru i'r Normaniaid. Ewch i weld y tyrau a'r waliau a'r hen doiledau sy'n crogi fel nythod gwenoliaid uwch yr afon!"

I ffwrdd â ni wedyn. Ar ôl dringo'r Tŵr Mawr, gallem weld y toiledau cerrig ar grib y waliau

PORTH A DRWS A DWNSIWN

Roedd Cas-gwent ar lan orllewinol afon Gwy yn borth i'r Rhufeiniaid (a'r Normaniaid ar ôl hynny) i groesi o'r dwyrain i dde Cymru. Ym mhob castell, mae'r porth yn fan gwan felly mae cael drws cadarn sy'n cael ei warchod gan dyrau uchel yn hanfodol. Yng Nghas-gwent o hyd mae drws pren dros 800 mlwydd oed – y drws castell hynaf sydd wedi goroesi yn Ewrop.

Wrth y porth yn aml mae'r carchar – twll neu bydew a alwyd gan y Normaniaid yn *donjon*. Enw ar y tŵr mwyaf diogel yn y castell oedd y *donjon* yn wreiddiol, cyn datblygu'r porth grymus. Yna aeth i olygu'r celloedd yng ngwaelod y tŵr cryf, sef y seler i garcharorion. Y gell waethaf un oedd yr un a gâi ei galw gan y Normaniaid yn *oubliette* – y 'lle i angofio amdano' ydi hwnnw. Unwaith roedd y trueiniaid yn cael eu taflu i'r fan honno, doedd y drws byth yn agor iddyn nhw wedi hynny.

oedd yn uchel uwch y clogwyn.

"O, fuaswn i ddim yn hoffi pi-pi yn un o'r rheiny!" gwaeddodd Gwen.

"Hysh!" sibrydodd Mam.

"Pam?" holais i.

"Mae'n dweud ar y daflen hon," meddai Mam, gan ddarllen y daflen, "fod Ogof Arthur yn y clogwyn oddi tanon ni."

"Ogof y Brenin Arthur?" gofynnodd Dad.

"Ie. Mae ef a'i filwyr yn cysgu yno, yn aros am y dydd i godi eto i arwain Cymru i ryddid."

"Roedden nhw'n cysgu pan gododd y Normaniaid y castell yma, felly?" gofynnais.

Pan ddaethon ni'n ôl i'r siop ar ddiwedd y daith, cwestiwn Dan inni oedd, "Welsoch chi'r drws?"

"Yr hen ddrws mawr yna?" gofynnodd Dad.

"Ie," meddai Dan. "Hwnnw oedd drws mawr porth y castell yn 1190. Y drws castell hynaf yn Ewrop! Dyna'r drws oedd yn cadw'r Ddraig Goch allan. Drwy'r drws yna y daeth y Normaniaid i Gymru."

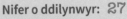
Nifer o ddilynwyr: 27

Bîns mêt Gruff
Mae'r drws yna yn Waw!

Nerys mêt Gwen
Cell yr anghofio! Dyna syniad ofnadwy!

Mam-gu
Falch bod fy Nraig Goch i wedi mynd i mewn drwy'r porth!

7

"Be? Rydan ni'n cael mynd i mewn i'r castell yma am ddim?" gofynnodd Gruff ar ôl inni gerdded drwy fwlch yn waliau Castell y Fenni.

"Does dim digon ohono ar ôl inni orfod talu," atebodd Mam.

"Mae'n debyg bod Owain Glyndŵr a'i fyddin wedi chwalu'r lle mor llwyr yn 1404 fel na ddaeth y Normaniaid fyth yn ôl i fyw yma wedyn," meddai Dad. "Mae'n debyg bod gwraig leol wedi meddwi milwyr y porth ac wedi agor hwnnw i'r Cymry wedyn."

"Wel, hen dric digon slei," meddwn.

"Slei, meddet ti?" Er mawr syndod inni, dyma hen wraig gefngrwm oedd yn sefyll wrth fwlch yn y wal yn troi atom. "Mae yna lawer o bethau slei ynglŷn â'r castell yma. Wyddoch chi be ydi hwn?"

Gyda'i bys cam fe bwyntiodd at ffenest gul yn y mur.

"Twll saethu?" gofynnodd Dad.

"Ie. A thwll slei ar y naw ydi o hefyd. Welwch chi sut mae'r hollt yn lletach ar yr ochr yma er mwyn rhoi onglau manteisiol i'r gwarchodwyr? Ond doedd y Normaniaid ddim yn rhai da iawn am drin y bwa. Rhai bychain neu fwa croes oedd ganddyn nhw. Y Cymry y tu allan i'r waliau yma oedd y rhai dawnus."

"Y bwa hir oedd gan y Cymry, ie?" gofynnodd Gruff.

"Pan gyrhaeddodd y Normaniaid yn eu harfwisgoedd o haearn cadwynog," meddai'r hen wraig, "roedd y Cymry'n gweld bod rhaid cael bwa cryfach i'w trywanu trwy'u dillad. Dyma nhw'n dyfeisio bwa chwe throedfedd o hyd oedd yn saethu ymhellach ac yn fwy nerthol. Y Cymry oedd y saethwyr gorau yn Ewrop bryd hynny, a gwŷr Gwent – yr ardal yma – oedd saethwyr gorau Cymru."

"Waw!" meddwn. "Roeddan ni'n well ymladdwyr na'r Normaniaid felly?"

"Dychmygwch yr olygfa," meddai'r hen wraig mewn llais isel. "Ebrill 1136. Carfan o Normaniaid yn croesi'r bryniau acw i ddwyn rhagor o dir y Cymry. Cân yr adar yn tawelu'n sydyn yng Nghwm Grwyne Fawr, a chawod o saethau'r Cymry dan arweiniad Iorwerth Caerllion yn lladd yr osgordd

TWLL SAETH

Sgrifennodd Gerallt Gymro lyfr taith am Gymru chwe blynedd ar ôl i'r Cymry chwalu castell y Fenni. Pan ddaeth i'r Fenni, dangosodd bobl hen ddrws y porth iddo. Er bod hwnnw wedi'i wneud o bren derw trwchus 'lled cledr llaw dyn' – sef rhyw bedair modfedd neu 10cm o drwch – roedd pennau saethau'r Cymry wedi treiddio trwyddo ac i'w gweld o hyd yn bochio allan ar ochr fewnol y drws.

Gallai saethwyr y Cymry drywanu gelynion oedd 150 metr i ffwrdd. Y bwa Cymreig, oedd yn feistr corn hyd yn oed ar farchog mewn arfwisg, oedd un o'r rhesymau pennaf pam fod y Normaniaid wedi methu concro Cymru. Wedi gweld beth oedd y Cymry'n medru'i wneud gyda'r bwa hir, aeth byddinoedd eraill ledled Ewrop ati i'w dynwared yn ystod y canrifoedd a ddilynodd gan drawsnewid hanes brwydrau ar y cyfandir.

gyfan mewn ychydig funudau. O, roedd y Normaniaid yn arswydo rhag saethau'r Cymry! Dyna pam y gwnaeth William de Braose wahodd tri chant o benaethiaid Cymreig Gwent i'r castell yma ar ddydd Nadolig 1175."

"Y Cymry yn cael gwahoddiad i gastell y Normaniaid?" meddai Mam mewn syndod. "Wel, chwarae teg iddyn nhw – dyna ysbryd yr ŵyl ar ei orau."

"Aros di am funud cyn barnu," atebodd yr hen wraig, a'i llais yn gras erbyn hyn. "Pan oedd y Cymry wrth y byrddau – a heb eu harfau, wrth gwrs – yn gwledda ar gig a gwin, cododd de Braose ar ei draed. 'Tawelwch!' gwaeddodd. 'Gan mai fi ydi arglwydd Gwent, rwyf am i bob Cymro yma dyngu llw na wnaiff fyth gario na thrin bwa a saeth fyth eto!' 'Does gen ti ddim hawl gofyn y fath beth a thithau'n lleidr ac yn llofrudd,' gwaeddodd y Cymry. Ar arwydd gan de Braose, llamodd byddin o Normaniaid arfog o'u cuddfannau a lladd y Cymry. Dim ond un lwyddodd i ddianc i adrodd yr hanes gwarthus. Ie, Iorwerth Caerllion oedd hwnnw ... "

"O! Dwi'n casáu'r Normaniaid," gwaeddodd Gruff.

"Ai dyna oedd diwedd y Cymry yn yr ardal yma?" gofynnodd Mam.

"Saith mlynedd yn ddiweddarach daeth y Cymry yma ac ymosod ar y muriau a'r porth gyda'u saethau. Roedden nhw'n rhy gryf i'r Normaniaid. Pan aethon nhw yn ôl dros y bryniau acw sy'n gefndir hardd i'r dyffrynnoedd hyn, roedd y dref a'r castell yn lludw myglyd a'r Uchel Siryf a'r holl Normaniaid wedi'u lladd. Clywch y meini hyn – mae aroglau mwg arnyn nhw o hyd."

Ac yn wir, wrth i'r pedwar ohonom gau ein llygaid i arogli'r meini tywyll, roedden ni'n clywed aroglau mwg dialedd y Cymry!

Pan droeson ni'n ôl i holi rhagor ar yr hen wraig, doedd neb yno ...

Nifer o ddilynwyr: 80

Tracs mêt Gruff
Ieics! Da ydi'r stori am y wraig wrth y wal. Dwi'n dal i freuddwydio amdani hi!

Catrin mêt Gwen
Y stori Nadoligaidd fwyaf erchyll a glywais i erioed. OMB!

Tad-cu
Wyt ti'n cofio fi'n naddu bwa saeth iti wrth fynd am dro pan oeddet ti'n chwech oed, Gruff? Mi lwyddais i dorri fy mys nes bod gwaed ym mhob man!

Mae'n fis Mawrth a ninnau wedi dod i'r brifddinas er mwyn gweld Cymru yn chwarae yn erbyn Iwerddon! Ac wrth gwrs, mae Draig Mam-gu yma i annog y tîm cenedlaethol. Ond cyn y gêm ddoe, mi fuon ni am dro o amgylch castell Caerdydd.

Wrth y porth, roedd dyn bach yn gwerthu sgarffiau Cymru. Roedd hi'n amhosib peidio prynu un!

"Wyt ti'n chwarae rygbi?" gofynnodd y dyn bach i mi.

"Ydw, ond dwi braidd yn fychan."

"Twt," meddai'r stondinwr. "Mae rhai o chwaraewyr rygbi gorau'r byd wedi bod yn rhai bychan – a llawer o'r rheini yn Gymry hefyd! Edrych ar y wal uchel yma a'r porth mawr i'r castell – fe wnaeth dyn bach iawn drechu'r Normaniaid mawr yma un tro."

Roedd hi'n amlwg bod stori ar ei ffordd.

"Gwlad o wledydd bychain oedd Cymru yr adeg honno. Roedd sawl arglwydd neu frenin Cymreig yn rheoli sawl rhan fechan o'r wlad, ac yma yn ardal Caerdydd Ifor ap Meurig oedd yr arweinydd, gyda'i lys lle mae'r Castell Coch yn y bryniau acw heddiw. Roedd y Normaniaid wedi codi tomen a rhoi tŵr ar ei phen yn y fan hyn a wal o'i gwmpas – mi welwch chi'r tŵr drwy adwy'r porth yn fan acw. Wiliam Fitz Robert oedd enw'r iarll Normanaidd ar y pryd ac mi ddaeth Ifor yma i gwyno wrth Wiliam fod Norman arall yn niwsans ac yn dwyn tir ac eiddo'r Cymry yn y bryniau. Gobeithio am degwch yr oedd Ifor, ond wyddoch chi beth wnaeth Wiliam ag ef?"

"Na," atebodd Gwen. "Ei helpu, efallai?"

"Dim o'r fath beth! Ei daflu i gell yng ngwaelod y tŵr ar ben y domen a'i gadw yno am rai dyddiau."

"Gafodd Ifor fynd yn rhydd wedyn?" holais.

"Do. Ond fu hi ddim yn hir cyn iddo ddod yn ôl. Liw nos fu hynny, gyda hanner dwsin o'i filwyr gorau. Gadael eu ceffylau o dan goed wrth afon Taf fan acw – ac yna sut aethon nhw i mewn i'r castell?"

CASTELL MWNT A BEILI

Ar ôl ymosod ar diroedd newydd, tacteg y Normaniaid oedd codi castell bychan cyflym i ddiogelu eu milwyr a chreu troedle mewn tir lle nad oedd croeso iddyn nhw. Chwiliai'r Normaniaid am fryncyn bychan, cloddio ffos o'i gwmpas a chodi'r pridd i greu tomen uwch, serthach ar y bryncyn a chau o gwmpas ffedog o dir o'i flaen gyda phalis o fyncyffion. Roedd y deunydd i gyd ar gael yn lleol a byddai ganddyn nhw gastell bychan mewn rhyw ddeg diwrnod.

Tân oedd prif arf y Cymry yn erbyn y cestyll cynnar hyn. Gan fod y wal allanol a'r tŵr ar ben y domen wedi'u gwneud o bren, roeddent yn cael eu llosgi pan fyddai'r Cymry yn ymosod arnynt.

Cam nesaf y Normaniaid oedd codi tŵr cerrig ar y domen a chodi llen o fur cerrig o amgylch y domen a'r ffedog o dir, sef y 'beili' a phont godi wedyn yn cysylltu'r tŵr gyda'r llecyn gwastad o fewn y wal.

Hen eiriau Ffrangeg yw *mote* (tomen) a *baile* (lloc o dir wedi'i amddiffyn gan balis neu fur).

"Taclo'r milwyr wrth y porth?" awgrymais.

"A! Weithiau mae ochrgamu'r man cryfaf yn well syniad," meddai'r dyn bach gan dderbyn taliad am dair sgarff arall yr un pryd. "Roedd ganddyn nhw raffau, a gan mai dyn bychan, ysgafn oedd Ifor – Ifor Bach oedd ei enw ymysg ei ffrindiau – ni fu fawr o dro cyn dringo'r waliau.

"Gan ei fod wedi bod yno yng ngharchar y Norman, roedd yn gyfarwydd â'r lle. Fel cysgodion, dyma nhw'n croesi'r beili, heibio'r stablau a'r stordai, croesi'r ffos at y domen a dringo grisiau'r twr – bob cam at lofft Wiliam Fitz Robert a'i wraig!"

"Y bwli mawr yn ei gastell!"

"Yn hollol! Cyn hir roedd yr iarll, yr iarlles a'u mab wedi'u clymu a'u gagio. Cyn i neb sylwi, roedden nhw wedi dychwelyd dros y beili, croesi'r wal ac yn marchogaeth yn ôl am y bryniau."

"Tri – dim i'r Cymry!" chwarddais.

"Bu'r Normaniaid yn chwilio'r wlad am y barwn a'i deulu, ond doedd dim sôn amdanyn nhw yn unlle. Roedd Ifor Bach wedi mynd â nhw i ogof yn y bryniau ymhell o ffyrdd y gelyn. O, roedd wedi edrych ar eu holau yn iawn, a'u hatgoffa mai byw mewn ogofâu fel hyn y byddai'r Cymry os byddai'r Normaniaid yn parhau i ddwyn eu tir a'u tai oddi arnyn nhw. Yn y diwedd, dyma Wiliam yn addo cydnabod hawliau'r Cymry os câi yntau a'i deulu ddychwelyd i gastell Caerdydd. A dyna fu. Mi gafodd y teulu fynd adref yn ddianaf. A'r tro hwn, cadwodd y Norman ei air."

"Ifor Bach, y Cymro mawr," meddai Gwen.

"Ie," cytunodd y stondinwr. "Ewch i weld y castell – ond cofiwch fod mwy nag un ffordd o gael Wil o'i wely!"

Nifer o ddilynwyr: 124

Draig mêt Gwen
Dwi'n gallu gweld llun o'r twr ar y domen ar fy ffôn – a dwi'n gweld mai Draig Goch Cymru sy'n cwhwfan arno heddiw!

Gwcw mêt Gruff
Hen dro gwael gan Wiliam Fitz Robert! Mi gaiff Ifor Bach fod yn gapten ar fy nhîm i unrhyw dro am ddysgu gwers iddo!

Taid
Dwi'n cofio mynd i weld fy ngêm rygbi rhyngwladol gyntaf yng Nghaerdydd yn ôl pan oedd Barry John a Gerald Davies yn chwarae. Cewri bychain ydan ni o hyd!

15

O, dyna beth oedd Diwrnod i'r Brenin! Aeth Mam-gu a Tad-cu â ni i Landeilo am y pnawn. Rydyn ni'n aros gyda nhw yn Nantgaredig ac fe aethon nhw â ni i'r siop siocled enwog yn y dref yma ar lan afon Tywi. Croesi'r bont fawr, parcio ac i ffwrdd â ni am y wledd!

Gan fwynhau'r danteithion, crwydrodd y pedwar ohonom i lawr y stryd a chyrraedd eglwys y dref. 'Llandeilo Fawr' oedd yr enw yn yr arddangosfa y tu mewn – hon oedd prif eglwys Teilo Sant. Yno darllenon ni am hen femrwn gwerthfawr a grëwyd yn 730 o'r enw Llyfr Teilo Sant a gafodd ei ddwyn oddi yno gan fyddin o Sacsoniaid yn y ddegfed ganrif. Mae'r llyfr bellach yn cael ei alw'n *Litchfield Gospels* a'i gadw yn yr eglwys honno yng nghanolbarth Lloegr – ond prif drysor y llyfr ydy mai ynddo mae'r enghraifft gynharaf erioed o Hen Gymraeg ysgrifenedig.

"Llandeilo Fawr. Hen eglwys yr Arglwydd Rhys," meddai llais y tu ôl inni.

Wrth inni droi i edrych pwy oedd yno, gwelsom ŵr pen moel mewn gwisg eglwysig lwyd. Fe gyflwynodd yr hanes i ni.

"Ar y grib goediog acw uwch y dyffryn mae castell Dinefwr. Castell y Cymry oedd hwnnw i warchod dyffryn braf afon Tywi oedd yn magu'r gwartheg duon gorau yn y wlad. Gwartheg oedd yr eiddo pwysicaf oedd gan y Cymry ac roedd yn rhaid cael brenin cryf a byddin ddewr i'w hamddiffyn. Rhai felly'n union oedd yr Arglwydd Rhys a milwyr Dinefwr."

"Ond ro'dd byddinoedd yn croesi'r ffin cyn belled â'r fan hon weithie?" gofynnodd Mam-gu.

"Oedden," meddai'r gŵr eglwysig. "Doedd dim digon i'w gael ganddyn nhw. Roedd yr Arglwydd Rhys eisiau heddwch i'w bobl gael byw eu bywydau yn deg fan hyn. Felly pan wnaeth Harri II ei wahodd i drafod telerau yng Nghaerwrangon, fe aeth yno'n syth. 'Cei fynd a dod yn ddiogel,' meddai Harri wrtho. Ond wyddoch chi beth wnaeth e, y baedd ag e?"

"Na wn i," atebodd Gruff.

"Ei daflu i ddwnsiwn y castell! Yna anfon ysbïwr i ddyffryn Tywi i weld shwt wlad oedd gan y Cymry. Roedd e eisiau gweld oedd hi'n werth y drafferth iddo ei dwyn hi. A dyma'r ysbïwr yn cyrraedd fan hyn – eglwys Llandeilo Fawr."

Y BWTRI

Mae 'bwtri' yn air sy'n perthyn i'r Gymraeg ers canrifoedd. Mae'n cael ei ddefnyddio ar lafar ar draws gogledd Cymru a Cheredigion erbyn hyn am y pantri, y llaethdy neu storfa cadw bwyd a diod. Yn Saesneg, mae *buttery* yn cael ei ddefnyddio yn yr un modd. Ond fel y rhan fwyaf o dermau'r castell, mae'r enw'n tarddu o hen Ffrangeg y Normaniaid. Yr enw gwreiddiol oedd *bouteilerie*, sef lle cadw poteli. Yn y cestyll, byddai'r 'bwtri' wedi'i leoli rhwng y neuadd a'r gegin.

Gyda llaw, mae 'pantri' (storfa fwyd) yn tarddu o hen Ffrangeg y cestyll hefyd. Yn yr iaith honno, *pain* ydi bara, a lle i gadw pain ydi pantri.

Fel y gwelwn ni o'r hanesyn am gastell Dinefwr, roedd bwyd a diod yn bwysig iawn i'r Normaniaid!

"O, myn yffach i!" ebychodd Tad-cu. "Yr hen gythraul ag e!"

"Ond gŵr duwiol o'r enw Gwyddan wnaeth gyfarfod ag ysbïwr Harri II yn yr eglwys hon. 'Dangos neuadd yr arglwydd a pha mor dda rydych yn byw yn y wlad hon i mi,' gorchmynnodd yr ysbïwr. 'Dere gyda fi,' meddai'r dyn duwiol."

Amneidiodd y gŵr eglwysig ar y pedwar ohonom ac erbyn hyn roedd hi'n amlwg ein bod yn ail-greu'r hyn ddigwyddodd yn 1158. Cawsom ein harwain o dref Llandeilo i fyny llwybr cul drwy'r coed. Cyn hir, roedd y llwybr yn dechrau dringo. Yna, roedd yn serth iawn.

"O!" meddai Tad-cu wrth Mam-gu. "Dere â dy fraich i mi."

"Fan hyn y gofynnodd yr ysbïwr i Gwyddan oedd ganddo ddiod i deithiwr. Ydych chi'n gweld y pwll budr yn y mawn dan y graig acw? Aeth Gwyddan ar ei liniau ar lawr ac yfed y dŵr a dweud ei fod yn dda iawn at dorri syched! 'Oes gennych chi ddim gwin yma?' holodd y Norman."

"Oes gen ti ddarn o'r siocled yna ar ôl, Gruff?" gofynnais.

"Yna gofynnodd y Norman am fwyd," meddai'r gŵr o'r eglwys. "A dechreuodd Gwyddan fwyta dail y coed! 'Beth am gân i ysgafnhau'r siwrne?' gofynnodd y Norman a dechreuodd Gwyddan ganu'r faled dristaf erioed. Roedd y nodau mor drist nes bod niwl yn dechrau casglu o dan frigau'r coed."

" 'Rwy'n mynd adref!' meddai'r Norman. 'Dyma'r lle tebycaf i uffern ar wyneb y ddaear!' Ac yn wir i chi, llwyddodd i berswadio ei frenin i ryddhau'r Arglwydd Rhys a pheidio ag ymosod ar Ddyffryn Tywi. Dyna i chi wledd fu yng nghastell Dinefwr pan gyrhaeddodd Rhys yn ei ôl!"

Nifer o ddilynwyr: 188

Angel mêt Gwen
Un da yw'r gŵr duwiol!

Gwil mêt Gruff
Y gweilch! Maen nhw wrthi ers canrifoedd! Mae'n rhaid inni gael Llyfr Teilo yn ôl!

Nain
Dwi newydd fod yn chwilio ar y we. Mae ffordd braf ddigon llydan i fynd â bws arni, yn mynd o amgylch ochr arall y bryn i gyrraedd castell Dinefwr! Does dim rhaid dringo i fyny'r creigiau coediog wedi'r cyfan!

19

"Mae'r porth yma'n anferth – ac mor gryf!" meddai Gwen wrth gerdded rhwng y tyrau crynion o boptu'r fynedfa enfawr a arweiniai i ganol y castell.

Yng nghastell Cydweli fuon ni heddiw ar un arall o deithiau gwyliau Mam-gu a Tad-cu Nantgaredig. Unwaith eto, doedd dim angen inni fynd ymhell. Maen nhw'n byw mewn ardal lle'r oedd llawer o gyffro yn yr hen ddyddiau, mae'n amlwg.

"Odi'r hen Ddraig Goch gen ti, Gwen?" gofynnodd Mam-gu.

"Dyma hi!" Dangosodd Gwen y glustog yn ei sgrepan gefn.

"Beth am inni dynnu ei llun hi wrth y porth i ddangos mor fach yw'r ddraig ac mor fawr oedd y cestyll yma?"

"Porth y cawr, myn yffach i!" ebychodd Tad-cu. "Shwt ar y ddaear oedd y Cymry'n breuddwydio y gallen nhw drechu'r Normaniaid a chael gwared ar lywodraeth y cestyll cryfion hyn?"

Fe ddringon ni un o dyrau'r porth yn gyntaf. O ben hwnnw, gallem weld y môr.

"Lle sydd yr ochr draw i'r gorwel yna?" gofynnais.

"Dere imi feddwl nawr," meddai Mam-gu. "Dyma afon Gwendraeth Fach yn y cwm islaw. Bae Caerfyrddin sydd mas ar y dde inni; Penrhyn Gŵyr ar y chwith a dros y gorwel Dyfnaint a Chernyw."

"Roedd llongau o bell yn gallu cyrraedd Castell Cydweli, felly?" holodd Gwen.

"Milwyr y môr oedd y Normaniaid," atebodd merch ifanc mewn hwdi werdd. "Mae'n braf eich clywed chi'n dod â'r hanes yn fyw! Meinir yw fy enw i a dwi'n gweithio dros yr haf i CADW. Dwi'n fyfyrwraig hanes ym mhrifysgol Abertawe ac yn arwain teithiau o amgylch y castell yma."

"Jobyn ddiddorol 'te?" holodd Tad-cu.

"Ydy, dwi'n cyfarfod pobl ddiddorol o bob rhan o'r byd," atebodd Meinir. "Ac oedd, roedd

TYLLAU UFFERN

Tyllau agored mewn adeilad bychan wedi'i osod yn uchel ar wal allanol neu dŵr y castell oedd y rhain. Drwy'r tyllau, gallai'r amddiffynwyr ar grib y waliau daflu cerrig, olew berwedig neu ffaglau tân am ben yr ymosodwyr wrth droed y wal neu wrth ddrws y porth.

Enw'r Normaniaid ar y rhain oedd *machicolations* – hen air Ffrangeg am 'dorri gwddw' yw hwn.

rheoli'r môr yn hollbwysig i'r Normaniaid. Dyna pam roedden nhw'n codi'u cestyll ar aber afon wrth yr arfordir – roedd llongau'n gallu cyrraedd yno gyda bwyd, milwyr ac arfau os oedd y Cymry'n ymosod arnyn nhw."

"Oedd y Cymry'n mentro ymosod ar hwn?" rhyfeddais.

"O oedden, sawl tro," meddai Meinir. "Ond roedd hwn yn un anodd iawn i'w drechu. Ry'n ni'n sefyll yn union wrth y porth. Os byddai'r Cymry ar eu ffordd yma, byddai milwyr ar y porth yn barod i'w croesawu nhw. Byddai'r porthcwlis yn disgyn i'w le ..."

"A be ydi porthcwlis?" gofynnodd Gwen.

"Hen eiriau Ffrangeg," esboniodd Meinir. "*Port* – drws a *coleice* – llithro. Drws haearn trwm yn llithro i lawr o uchder a chau adwy'r porth mewn eiliadau."

"A byddai'r Cymry'n methu dod i mewn wedyn?" holodd Mam-gu.

"Welwch chi'r tyllau wrth eich traed fan hyn? Tyllau uffern! Byddai'r Normaniaid yn taflu pethau i lawr ar yr ymosodwyr drwy'r rheiny."

"Doedd dim gobaith, felly," meddai Tad-cu.

"Collodd y Cymry'r dydd sawl tro yn erbyn Normaniaid Caerffili. Glywsoch chi am Gwenllïan, y dywysoges ddewr a arweiniodd fyddin o Gymru yn erbyn y Normaniaid?"

"Do, dwi wedi darllen ei hanes hi," atebodd Gwen. "Gollodd hi a'i meibion eu bywydau, yn do?"

"Do wir. Hanes trist," meddai Meinir. "I fyny'r cwm dan Fynyddygarreg oedd lleoliad y frwydr honno. Mae fferm Maes Gwenllïan yno hyd heddiw."

"Felly'r Normaniaid ar eu cryfaf yw stori'r castell hwn?" meddwn yn reit benisel.

"Ddim o gwbwl!" meddai Meinir. "Yn 1225 daeth Llywelyn Fawr a'i fyddin y ffordd hyn – disgynnodd Cestyll Talacharn, Caerfyrddin, Llansteffan, Arberth, Cilgerran, Aberteifi – a hwn, Cydweli, hyd yn oed – i'w dwylo. Chwalwyd castell Cydweli a'i losgi. Roedd y Cymry yn drech na'r Norman o dan Llywelyn Fawr. Hei, rhaid i mi fynd – mae criw o America yn disgwyl amdana i y tu allan i'r porth."

"Cofia sôn am Llywelyn Fawr wrthyn nhw!" gwaeddais ar ei hôl.

Nifer o ddilynwyr: 225

Nerys Nerfus mêt Gwen

Aeth Llywelyn Fawr i lawr o Wynedd yr holl ffordd i Gydweli – a rhoi cweir i'r Normaniaid.

Bîns mêt Gruff

Hen driciau slei oedd y porth yn llithro a'r tyllau uffern, myn coblyn i!

Tad-cu

Mae rhyw dawelwch rhyfedd yng Nghydweli heddi. Alla i ddim llai na chlywed cri Gwenllïan a bloeddio llawen Llywelyn Fawr.

23

Bore 'ma aethom i siop lyfrau ar Stryd Fawr Aberteifi i brynu llyfr cwis am Gymru.

"O! Ry'ch chi'n bobl cwis, y'ch chi?" meddai'r dyn y tu ôl i'r cownter. "Dyma gwestiwn anodd i chi: pa gastell yng Nghymru wnaeth y Beca ymosod arno? E? Hei, 'na gwestiwn da i chi!"

"Ond roeddwn i'n meddwl mai ymosod ar dollbyrth a chwalu giatiau roedd y Beca'n ei wneud," meddai Gruff.

"Ie, ie. Ond fe falon nhw un castell hefyd! Smo chi'n gwybod? Wel hwn fan hyn – castell Aberteifi! Yr amser 'ny roedd gweddillion Porth y Gogledd ar y Stryd Fawr i'r dde o'r siop hon. Yn 1843 cafodd hwnnw ei chwalu gan y Beca pan ymosodon nhw ar y dref. O's, wi'n gweud wrthoch chi – mae isie whalad nawr ac yn y man! Wyddech chi mai yma yng Ngheredigion yr adeiladodd y Cymry eu peiriannau whalu cestyll cyntaf?"

"Peiriannau chwalu cestyll? Waw – mae'r rheiny'n swnio'n hwyl!" meddai Gruff.

"Chi'n gweld, roedd y Cymry wedi cael llond bola ar y Normaniaid yn anfon eu byddinoedd man hyn a man draw ar hyd ein gwlad ni ac yna'n codi cestyll mor ddigywilydd â chath mewn cegin. Roedd y Cymry yn gallu llosgi'r cestyll coed ond pan ddechreuodd y Normaniaid godi cestyll cerrig, roedd rhaid cael cynllun arall. Erbyn y 12fed ganrif, roedd gan y Cymry ddau arweinydd cryf – Owain Gwynedd yn y gogledd a'r Arglwydd Rhys yn y Deheubarth. Nid yn unig ro'n nhw'n gyrru'r Normaniaid ar ffo, ond ro'n nhw hefyd yn dwyn y cestyll ac yn eu defnyddio nhw i amddiffyn eu tiroedd yn erbyn byddinoedd y gelyn. Ro'n nhw'n dysgu gan y Normaniaid felly sut i ymosod ar gestyll – a sut i'w hamddiffyn nhw. Pan gipiodd yr Arglwydd Rhys a'i frodyr gastell Llansteffan, ceisiodd y Normaniaid ei ennill yn ôl drwy osod ysgolion hirion yn erbyn y waliau. Ond roedd y Cymry'n medru gwthio'r ysgolion i ffwrdd nes bod y Normaniaid yn y ffos!"

"Eitha lle iddyn nhw!" meddai Gruff.

"Ac yma yn Ystrad Meurig, Ceredigion, y defnyddiodd y Cymry beiriannau sling a chatapwlt

CADAIR WRTH FWRDD YR ARGLWYDD

Yn y rhan fwyaf diogel o'r castell – yn y tŵr mawr, neu'r gorthwr mewnol fel arfer – byddai Neuadd Fawr y castell. Roedd hon yn bwysig yn filwrol ac yn wleidyddol. Yn rhan uchaf y neuadd – y rhan agosaf at ystafelloedd preifat yr arglwydd – byddai llwyfan, ac ar hwnnw y byddai cadair fawr yr arglwydd a bwrdd urddasol. Yma y byddai'r arglwydd yn cynnal llys yr ardal ac yma y byddai'n dathlu gwyliau a buddugoliaethau drwy gynnal gwleddau. O'i gwmpas ar fwrdd yr arglwydd byddai prif swyddogion ei lys.

Pan gynhaliodd yr Arglwydd Rhys ei eisteddfod dros y Nadolig 1176, y prif wobrau i'r bardd gorau a'r telynor gorau oedd cadair wrth fwrdd yr Arglwydd. Rhoddodd wobrau hael eraill i'r perfformwyr gorau – ond roedd yr anrhydedd pennaf yn perthyn i enillwyr y cadeiriau. Gŵr ifanc o lys Aberteifi enillodd Gadair y Telynor a bardd o Wynedd enillodd y Gadair Farddoniaeth. Hon yw'r eisteddfod gyntaf sydd wedi'i chofnodi ond mae'r arfer o roi cadeiriau i feirdd wedi parhau yng Nghymru ers hynny.

am y tro cynta i fylchu castell y Normaniaid a'u trechu. Ond ewch chi i weld castell Aberteifi i lawr wrth yr afon. Pan lwyddodd yr Arglwydd Rhys i gael gwared ar y Normaniaid o'u castell pridd a phren yn 1171, symudodd ei brif lys i Aberteifi a dechreuodd godi castell carreg yma. Dyna ichi ddyn oedd yn gweld ymhell – doedd e ddim am ildio y safle wych yna ar whare bach. Hwn oedd y castell carreg cyntaf i'r Cymry ei godi. Cymerodd hi bum mlynedd iddyn nhw orffen y gwaith ac mae wedi cymryd blynyddoedd eto yn ystod y ganrif hon inni adfer y castell a chroesawu ymwelwyr iddo. Ewch yno ar bob cyfri – mae'n werth ei weld. A dewch 'nôl i ddweud wrtha i yr ateb i'r cwestiwn hwn: Er mwyn dathlu cwblhau'r castell, cynhaliodd yr Arglwydd Rhys eisteddfod yno yn Nadolig 1176. Dyma'r eisteddfod gyntaf y mae sôn amdani yn hanes Cymru. Anfonodd negeseuwyr ar hyd ac ar led i gyhoeddi bod cystadlaethau a gwobrau arbennig i'r beirdd a'r cerddorion. Ond beth oedd y prif wobrau? E? Dyna'r cwestiwn! Mae'r ateb yn y castell!"

Nifer o ddilynwyr: 286

Catrin mêt Gwen
'Peiriant whalu cestyll' – wel, yn doedden nhw'n cael hwyl yn yr hen ddyddiau?

Tracs mêt Gruff
Ddaeth y Normaniaid cyn belled ag Aberteifi? Wel, mae rhai pobl yn wynebgaled, yn tydyn nhw!

Nain
Hei eich dau. Cofiwch chi am y gadair pan fydd steddfod yn yr ysgol y flwyddyn nesaf. Byddai'n braf iawn gweld un ohonoch chi'n ei hennill!

27

"Esgusodwch fi! Allwch chi ddod i mewn yn weddol gyflym ac yna gadw i ochr bellaf y castell, os gwelwch yn dda?"

Newydd gyrraedd castell Cricieth oedden ni ac ar ôl dringo'r llwybr at y prif borth, cerddodd merch ifanc mewn dillad du, gyda sbectol haul ar ei thrwyn, clustffonau dros ei phen, bag ar ei chefn a ffôn symudol yn ei llaw atom i restru ei chyfarwyddiadau.

"Rydyn ni ar ganol recordio pwt ar gyfer ffilm i groesawu ymwelwyr," meddai.

O droed wal bellaf y castell, gwelsom gyflwynydd enwog yn cerdded drwy'r porth, gan edrych o'i gwmpas yn ddeallus ac yna'n canfod y camera a dechrau ar ei stori:

"Ganwyd Llywelyn Fawr tua 1173 ac erbyn 1202 roedd yn arweinydd cryf a llwyddiannus yn rheoli'r rhan fwyaf o ogledd Cymru. Erbyn diwedd ei oes, byddai'n brif dywysog Cymru a gododd lawer o gestyll cerrig i amddiffyn ei diroedd yn erbyn y Normaniaid – Dolbadarn, Ewlo, Castell y Bere, Carn Dochan ac yma yng Nghricieth, ar fryncyn crwn uwch creigiau'r môr."

"Ew, roedd Llywelyn yn adeiladwr mawr hefyd, yn doedd?" meddwn.

"Hist wrth y waliau acw, os gwelwch yn dda!" gwaeddodd y ferch gyda'r clustffonau.

"Gwylia dy hun, Gruff, neu mi fydd hon wedi dy daflu i seler y tŵr yna!" meddai Gwen.

"Hist meddais i!"

Cerddodd y cyflwynydd at y tŵr crwn ar y chwith i'r porth, wrth edrych arno o'r tu mewn.

"Yr enw ar y tŵr hwn ydi 'Tŵr y Peiriant'. Byddai rhai cestyll yn cael eu haddasu i adeiladu lle arbennig ar grib y tyrau i greu llwyfan i beiriant taflu neu beiriant saethu. Roedd y Cymry wedi dysgu'n gyflym fod yn rhaid iddyn nhw amddiffyn eu hunain yn erbyn trebuchetau, balistâu, mangonelau a pherierod y Normaniaid. Ie, geiriau diethr a thipyn o lond ceg – ond dyna'r peiriannau Ffrengig y byddai byddin filain y tu allan yn eu defnyddio i geisio cipio'r

TREBUCHET

Peiriant pren oedd yn taflu meini mawr a phob math o daflegrau at yr amddiffynfeydd gan fyddin oedd yn gwarchae'r castell oedd hwn. Cafodd ei ddyfeisio yn Ffrainc a daeth y Normaniaid â rhai i Loegr yn 13eg ganrif.

Trebuchet   o hen Ffrangeg: 'i daflu dros ...' Peiriant i daflu dros y wal a chreu llanast y tu mewn i'r castell oedd hwn.

Mae dau *trebuchet* wedi'u hail-greu a'u gosod y tu allan i waliau castell Caerffili yn 2018. Dyma rai o'r peiriannau gwarchae eraill a ddefnyddiwyd:

Ballista   bwa croes cawraidd a allai saethu saeth fawr neu bicell a thrywanu mwy nag un milwr ar un trawiad. Mae'r ansoddair 'balistig' yn tarddu o hwn!

Mangonel   braich daflu i hyrddio cerrig llai neu daflegrau tân

Perrier   braich daflu hir i daflu siot ac mae hwn hefyd yn tarddu o'r Hen Ffrangeg am garreg fawr: *perron*.

castell hwn oddi ar Llywelyn Fawr."

Cerddodd wedyn i ganol y llain trionglog agored o fewn muriau'r castell.

"Dychmygwch sefyll yma a phob math o bethau'n cael eu hyrddio dros y waliau gan y peiriannau hyn. Nid cerrig a thaflegrau tân yn unig – ond gwartheg heintus wedi marw, er mwyn lledaenu clefydon ymysg y castellwyr, neu galch rhydd er mwyn eu dallu."

Yna cerddodd yn ôl at y porth ac yn edrych ar y meini uwch ei ben.

"Ond daeth oes y castell hwn i ben yn 1404 pan gafodd ei ddinistrio gan Owain Glyndŵr a'i filwyr. Maen nhw'n dweud fod ôl y llosgi i'w weld ar feini'r porth o hyd."

"Hwrê!" gwaeddodd Gwen.

"Hist!" gwaeddodd merch y clustffonau.

Aeth y cyflwynydd yn ei flaen.

"Yr hyn sy'n aros heddiw ydi'r olygfa aruthrol hon o fynyddoedd Eryri, o'r Wyddfa i Gadair Idris. Y mynyddoedd oedd castell gorau'r Cymry, wrth gwrs, ac maen nhw'n sefyll yn gadarn yn gwylio môr y gorllewin o hyd."

Nifer o ddilynwyr: 310

 Gwcw mêt Gwen
Gweledigaeth fawr, Llywelyn Fawr!
Hoffi'r lleoliad … yn Fawr!

 Draig mêt Gruff
Gwartheg heintus a chalch! Ych-a-fi!

 Mam-gu
Fyddech chi'n hoffi cael gwaith ar y teledu, Gruff a Gwen? Cyfle da i gwrdd â phlant diddorol rwy'n siwr.

Rydyn ni'r efeilliaid newydd ddathlu'n pen-blwydd ac un o'r anrhegion gorau a gawson ni erioed oedd tocynnau anrheg i fynd ar y weiren Zip yn chwarel Llechwedd, Blaenau Ffestiniog – neu 'y wifren wefr' fel roedd Mam yn ei galw. Y fath olygfeydd!

Wedi'r cyffro mawr, aethom yn y car a dringo'r ffordd dros y bwlch, cyn parcio am ychydig funudau i fwynhau'r olygfa honno.

"Dacw'r Wyddfa ar y chwith inni," meddai Dad, "a'r Grib Goch yn edrych fel cefn draenog, yn bigog a brathog ac yn beryglus."

"Moel Siabod ydi'r mynydd mawr ysgwyddog o'n blaenau ni," nododd Mam. "Ydych chi'n cofio ni'n dringo hwn o gyfeiriad Capel Curig?"

"Yr un mynydd ydi o?" rhyfeddais. "Esgob, mae'n un mawr."

"Mae rhai o'r bugeiliaid mynydd lleol yn dweud mai dyma'r mynydd mwyaf yn Ewrop, yn codi o waelod llydan i ddim ond un copa," esboniodd Dad.

"Waw! Mae'r wlad yma'n llawn mynyddoedd a chreigiau," meddai Gruff. "Dim ond ambell ffermdy unig wedi'i baentio'n wyn sy'n dangos fod unrhyw un yn byw yma."

"Mae yna un adeilad arall arbennig," aeth Dad yn ei flaen. "Fedrwch chi ei weld o? Lawr o dan y bwlch, ar fryncyn wrth droed Moel Siabod. Welwch chi dŵr cerrig i lawr fan'cw?"

Rydym yn dilyn cyfeiriad bys Dad ac yn craffu rhwng y ffriddoedd a'r clogwyni yn y tir gwyllt yma. "O! Wela i rywbeth!" gwaeddodd Gruff. "Tŵr tywyll, sgwarog."

"Ie, hen gastell y Cymry," nododd Mam. "Castell Dolwyddelan. Mae'n edrych fel pe bai'n rhan o'r mynyddoedd, yn tydi?"

"Mewn ffordd, mae hynny'n wir," meddai Dad. "Y mynyddoedd yma oedd cadarnle'r tywysogion Cymreig. Pan oedden nhw â'u cefnau yn erbyn y creigiau yma yn ymladd byddinoedd brenin Lloegr, roedden nhw fel tîm rygbi yn chwarae adref. Doedden nhw ddim yn ildio fan hyn. Roedd gan y Cymry lwybrau'n croesi'r bylchau yma, yn cysylltu eu cestyll gyda'i gilydd. Efallai bod y Normaniaid yn rheoli'r môr, ond y Cymry oedd yn rheoli'r mynyddoedd."

Yna, aethom i lawr i'r dyffryn i weld y castell yn iawn.

Roedd digon o le inni barcio wrth droed y castell, a cherddon ni at y ffermdy a rhoi cnoc ar y drws i godi ticed i gael mynediad i'r castell.

"Ewch yn eich blaenau drwy'r buarth," meddai gwraig y fferm wrthym. "Ac os welwch chi hogyn ifanc yn rhedeg o gwmpas fel peth gwirion yn ceisio gorffen ei waith mewn pryd, Ieuan y mab fydd o. Dwedwch wrtho fod ei fam yn dweud ei bod hi'n bryd iddo fynd am y tŷ – mae ganddo gêm rygbi bwysig y pnawn yma ac mae'n rhaid iddo gael rhywbeth yn ei fol cyn cychwyn."

GORTHWR

Y tŵr pwysicaf a'r mwyaf, yr un sydd wedi'i amddiffyn orau yn y castell yw'r 'gorthwr'. Weithiau bydd hwn ar fryncyn yng nghanol y waliau mewnol – fel yng nghastell Caerdydd. Dro arall bydd yn rhan o'r waliau mewnol, ond yn uwch ac yn fwy cydnerth na'r tyrau eraill.

Yng nghanol mynyddoedd Eryri, mae dau gastell Cymreig o ddyddiau Llywelyn Fawr – Dolwyddelan a Dolbadarn. Bellach, does fawr ddim ar ôl o'r cestyll gwreiddiol ond mae gorthwr y ddau ohonynt yn dal i sefyll, yn herio'r tywydd mawr ac yn ymddangos mor gadarn â'r mynyddoedd o'u cwmpas.

Y gwahaniaeth amlwg rhwng y ddau yw bod gorthwr castell Dolwyddelan yn sgwâr a gorthwr castell Dolbadarn yn grwn. Codwyd castell Dolwyddelan tua 1210–40, gyda dau lawr yn y gorthwr cynnar, a chodwyd castell Dolbadarn yn y 1230au gyda thri llawr yn y gorthwr.

Oedd, roedd y gorthwr yn lle diogel. Yn y gorthwr yn Nolbadarn yr oedd y tywysogion yn cadw'u carcharorion pwysicaf. Yno y cadwyd yr Arglwydd Grey o Ruthun, y Norman oedd yn ddraenen yn ystlys Owain Glyndŵr. Daliwyd Grey wedi brwydr Rhuthun 1402 a bu'n garcharor yn Nolbadarn nes i'r brenin dalu swm anferth o arian i'w ryddhau.

O ben y bwlch, roedd castell Dolwyddelan yn edrych yn fychan iawn yng nghysgod mynyddoedd Eryri. Ond wrth edrych i fyny ato wrth ei ymyl, ymddangosai'n fawr ac yn gadarn.

"Ydi'n wir mai fan hyn y cafodd Llywelyn Fawr ei eni?" gofynnodd Dad.

"Wel, mae yna draddodiad cryf ei fod wedi'i eni yn Nolwyddelan," meddai gwraig y tŷ. "Ond mae'n debyg mai mewn castell pren yn is i lawr at y pentref y bu hynny. Reit siŵr ichi ei fod yn hoff iawn o'r lle yma oherwydd y fo gododd y castell carreg yma, rydach chi'n gweld. Roedd o'n hoff iawn o Ddyffryn Conwy. Roedd ganddo lys hela yn Nhrefriw a sefydlodd eglwys yno i'w wraig Siwan – rhag ei bod hi'n gorfod dringo allt serth at hen eglwys Llanrhychwyn. Yn ei hen ddyddiau, aeth Llywelyn Fawr i orffwyso yn Abaty Aberconwy lle mae castell Conwy heddiw. Mae'i arch garreg i'w gweld yn rhan o eglwys Llanrwst o hyd."

"Mae'n rhaid i mi fynd, Mam!" Gwthiodd llanc ifanc gwyllt heibio inni gyda bag rygbi dros ei ysgwydd a darn o frechdan gig yn ei geg.

Gwaeddodd ei fam ar ei ôl, yn gobeithio y câi gêm dda ac atebodd yntau, yn gwybod bod yn rhaid iddyn nhw ennill gan eu bod ar eu tir eu hunain y pnawn hwnnw.

Nifer o ddilynwyr: 363

Gwil mêt Gruff
Zips chwareli a chwarae adref yng nghysgod y mynyddoedd – dyna'r stwff i roi haearn yn y gwaed!

Angel mêt Gwen
Bwyta wrth redeg a siarad â llond ei geg o ginio – twt twt!

Taid
Chwalodd y Normaniaid hen abaty'r Cymry yn Aberconwy i godi eu castell yno – faint o hen adeiladau hanesyddol y Cymry sydd wedi'u colli tybed?

Gan ei bod hi'n hanner tymor, rydyn ni wedi dod i lawr i sir Gaerfyrddin am wyliau bach, a heddiw buon ni ar drywydd castell arall. I'r dim! Wrth i ni gerdded, gwelsom y ferch oedd yn cerdded y llwybr o'n blaenau yn oedi a chodi sbienddrych at ei llygaid. O'n blaenau, codai tyrau a muriau castell Carreg Cennen yn dal a balch uwch ei greigiau. Ond nid craffu ar y castell yr oedd y ferch. Roedd y sbienddrych wedi'i anelu yn llawer uwch na hynny. Toc, roedden wrth ei hymyl.

"Welwch chi hwn'na?" gofynnodd y ferch.

"Y castell?" gofynnodd Gwen. "Wel ydi, mae o'n fawr ac yn gryf, yn tydi?"

"Na, yn yr entrychion uwch ben y castell," atebodd hithau. "Barcud coch!"

Dilynon ni ongl y sbienddrych i'r cymylau.

"Dacw fo!" gwaeddodd Gwen. "Mi alla i weld y fforch yn ei gynffon yn glir!"

"Mae'r haul ar ei blu, hefyd," sylwodd Mam. "O, fe allech chi daeru mai aderyn copr ydi hwn'na, yn sgleinio uwch ein pennau."

"Ac mor llonydd wrth hofran mor uchel!" rhyfeddodd Dad.

"Mae hanes Cymru gyfan yn hanes yr aderyn yna," meddai'r ferch. "Cafodd ei hela a'i hela a dim ond un iâr ac un nyth oedd ar ôl ar un adeg. Ond y nyth hwnnw oedd castell yr aderyn. Ac o'r cryfder hwnnw, daeth yn ôl i ledu ei adenydd dros y rhan fwyaf o'r wlad."

"Dynes cestyll neu ddynes adar ydych chi?" gofynnodd Dad iddi.

"Y ddau!" atebodd hithau. "O, adar yw fy niddordeb mawr i, ond fel mae stori'r barcud yn ei ddweud wrthym ni, allwch chi ddim cael adar heb gynefin. Mae'r un peth yn wir am gestyll – mae ganddyn nhw eu cynefin hefyd."

"Cynefin garw iawn sydd gan Garreg Cennen, beth bynnag!" meddai Gwen. "Pe bawn i'n elyn, fyddai gen i ddim anadl i ymladd erbyn cyrraedd troed y tyrau acw!"

TWNNEL CUDD

Stori ramantus sy'n gysylltiedig â sawl castell yw bod yno dwnnel cudd. Yn ôl traddodiad yn ardal Llanberis, mae twnnel cudd yn arwain o gastell Dolbadarn at lan Llyn Peris. Ond does neb erioed wedi darganfod y twnnel, wrth gwrs. Mae'n bosib iawn fod ei do wedi cwympo a'i fod wedi cau ers canrifoedd. Ond oedd, roedd yna dwnnel ar un adeg ...

Mae'n wir, wrth gwrs, fod twnnel cudd yn un ffordd o drechu byddin sy'n amgylchynu castell gan obeithio dal yr arweinydd neu lwgu'r gatrawd. Gall rhai ddianc drwy'r twnnel cudd, neu gellir dod â bwyd i mewn drwyddo.

Ond yng nghastell Carreg Cennen, mae cyntedd tanddaearol sy'n arwain at ogof naturiol. Mae'r dychymyg yn garlamus iawn wrth fentro ar hyd y 'twnnel cudd' hwnnw, sy'n rhan o gynllun diogelu'r castell.

"Ydi, mae'n safle ysblennydd," meddai'r ferch. "Nyth uchel ar y graig a'r mynydd gwyllt y tu cefn iddo. Castell y Cymry oedd hwn, ac mae ganddo ryw awdurdod styfnig sy'n ein herio ni o hyd o'r llwyfan cribog yna."

Wrth inni ddod yn nes at y castell, roedd yr haul yn taro'r meini, nes bod y cerrig yn sgleinio.

"Carreg galch ydi'r graig ar y copa yma," esboniodd Dad. "Ac yn naturiol, y cerrig lleol a gafodd eu defnyddio i'w adeiladu. Gan fod honno'n garreg wen, mae'r castell yn amlwg ac yn drawiadol o bellteroedd, yn tydi?"

Cyn hir roedden ni'n crwydro'r adfeilion, yn dychmygu'r cyffro pan gyrhaeddai'r Arglwydd Rhys yma a Llywelyn ap Gruffudd yntau, ar ei gyrch o'r gogledd. Hyd yn oed ar ôl i fyddinoedd y Cymry gael eu trechu, roedd Carreg Cennen ar restr yr enillion pan fyddai gwrthryfel yn y wlad. Yn 1287, gwrthryfelodd Rhys ap Maredudd yn erbyn Edward I a chipio Carreg Cennen, cyn mynd ymlaen i ymosod ar gastell Dryslwyn yr un pnawn. Daeth lluoedd Owain Glyndŵr dros ysgwyddau'r mynyddoedd a sefydlu gwarchae hir ar y castell yn ystod eu gwrthryfel, a gorfodi'r Normaniaid i ildio iddo yn y diwedd. Oedd, roedd rhyw deimlad mai ni ydi'r perchnogion o hyd yn fan hyn – a hyd yn oed os ydi pethau yn ein herbyn weithiau, mae digon o amser ar ôl inni ddychwelyd a meddiannu'r lle eto.

Wrth inni adael, roedd y barcud uwch ein pennau eto, a'i alwad yn atseinio dros y tir a'r haul ar ei blu coch.

Nifer o ddilynwyr: 412

Bîns mêt Gruff
Y barcud coch – dyna aderyn Cymru, os bu un erioed. Dal dy dir, yr hen dderyn!

Nerys Nerfus mêt Gwen
Twnnel! Lle i fagu ystlumod?

Mam-gu
Rwy'n edrych ar y calendr ar y wal – llun lliw o gastell Carreg Cennen yw'r un sydd ar ddalen y mis hwn, ond dyw llun camera ddim yn gwneud cyfiawnder â'r castell hynod hwn!

Buom yn Nyffryn Hafren heddiw a dringo i fyny llethrau'r dyffryn at gastell Llywelyn yn Nolforwyn. Ond yno o'n blaenau roedd Bardd Plant Cymru a chriw o blant o ysgol Gymraeg y Drenewydd gyda hi. Wrth glosio atyn nhw ar hyd y wal bellaf, cawsom flas ar y gweithdy.

"Weithiau, mae dau gastell agos at ei gilydd yn debyg i bâr o byst rygbi neu ddwy gôl ar faes pêl-droed. Mae un yn perthyn i un tîm a'r llall i dîm arall," meddai'r Bardd.

"Maen nhw'n wynebu'i gilydd ar draws gwlad, a bron na chlywch chi nhw'n rhuo a gweiddi ar ei gilydd! Dyna gawn ni ar lethrau Dyffryn Hafren. Yma mae Dolforwyn, castell Llywelyn ap Gruffudd. Yr ochr draw, yn nes at Loegr, mae castell y Normaniaid yn Nhrefaldwyn. Dwy gôl yn wynebu ei gilydd. Neu beth arall allen nhw fod?"

Saethodd llaw un o'r plant i'r awyr.

"Dau gi yn cyfarth ar ei gilydd," meddai'r bachgen.

"O, da iawn." Roedd y bardd yn amlwg wrth ei bodd.

"Dau darw yn yr un cae, yn gostwng eu cyrn i ymosod ar ei gilydd," meddai geneth yn y dosbarth.

"Gwych eto! Unrhyw gynnig arall?"

"Dau reslar swmo!"

"Dyna ddarluniau dramatig o'r ddau gastell yma," meddai'r Bardd. "Reit, dewch gyda fi y tu allan i'r porth i weld lle'r oedd hen dref y Cymry yng nghysgod castell Dolforwyn. Wyddech chi fod Llywelyn yn breuddwydio am wneud y dref hon yn brifddinas Cymru?"

Gadawodd y criw tra oedd Gruff yn rhyfeddu. "Prifddinas Cymru! Ar grib y llechwedd yma? Oeddet ti'n gwybod hynny, Mam?"

"Tyrd i edrych ar y byrddau treftadaeth sydd o gwmpas y safle inni gael yr hanes yn iawn."

Wrth ddarllen y byrddau, disgynnodd y darnau i'w lle. Afon Hafren yw'r afon hwyaf yng Nghymru a Lloegr. Mae'n tarddu ar fynydd Pumlumon ac yn llifo tua'r dwyrain drwy'r Drenewydd a'r Trallwng ac yna dros y ffin i Loegr, cyn troi am y de a chyrraedd ffin Cymru a Lloegr wrth ymyl Cas-gwent. Hyd yn oed cyn gadael Cymru, mae'n ddyffryn llydan a braf. Ond yn anffodus, mae'n arwain tua'r dwyrain ac felly'n creu bwlch yn y mynyddoedd a'r bryniau sy'n amddiffyn Cymru rhag byddinoedd o'r dwyrain.

"Y dyffryn yma oedd y twll i adael y gelyn i mewn, felly?" meddai Gruff.

"Hen dro na fyddai afon Hafren yn llifo'r ffordd arall, ynte?" meddyliais.

"Dyma'r ffordd y daeth y Rhufeiniaid a'r Sacsoniaid a'r Normaniaid i ganolbarth Cymru," esboniodd Dad.

"Ac wrth gwrs roedd ganddyn nhw eu cestyll," meddai Mam. "Mae'n dweud fan hyn fod y Normaniaid wedi dechrau codi castell carreg cryf yn Nhrefaldwyn erbyn 1230 ac yn 1267, roedden nhw'n codi wal i amddiffyn y dref hefyd."

"Dyna pryd yr oedd Llywelyn ap Gruffudd ar ei gryfaf," darllenodd Dad. "A dyma fo'n dechrau codi castell Dolforwyn yn 1273 a sefydlu tref farchnad yno i atal y Normaniaid rhag gwthio ymhellach ar hyd Dyffryn Hafren."

BWRDEISTREF

....

Un peth ydi codi castell, peth arall ydi talu amdano a thalu'r costau blynyddol at ei gynnal a'i gadw.

Prif ddiben castell ydi creu lle diogel i'r fyddin sy'n ceisio rheoli darn o dir. Dydi'r milwyr ddim yn gweithio, dim ond yn paratoi at frwydrau ac ymarfer gyda'u harfau. Felly mae'n rhaid cael crydd, dilladwyr, gof haearn, gweision ceffylau, pobydd, cogyddion, cigydd, dyn cadw mêl, pysgotwyr, bragwr, cerddor a bardd a phob math o siopwr a chrefftwr arall i ddigoni anghenion y fyddin yn y castell. Mewn gair, mae'n rhaid cael tre farchnad i fwydo a dod â thipyn o fywyd i'r fyddin.

Wrth godi'r castell, mae'r brenin neu'r arglwydd yn codi tref yn ei gysgod ac yna'n codi wal allanol i amddiffyn y dref. Bydd siopwyr a gweithwyr y dref yn cael marchnad barod a phrisiau da am eu nwyddau – maen nhw'n cael 'breintiau masnachol' arbennig. Er mwyn bod yn rhan o dref y castell, maen nhw'n gorfod talu i'r brenin am y fraint. 'Bwrdais' yw'r un sy'n byw yn y dref gastellog – mae'n talu rhent blynyddol am ddarn o dir o fewn y muriau lle mae ei dŷ a'i weithdy a'i ardd lysiau. O gael sawl 'bwrdais' wrth y castell, bydd 'bwrdeistref' yn tyfu – tref a'i thrigolion yn mwynhau breintiau arbennig ac yn cael eu hamddiffyn gan y castell, y fyddin a'r brenin.

"Meddyliwch petai'r cynllun wedi llwyddo," meddai Gruff yn freuddwydiol. "Traffyrdd braf yn cysylltu Caerdydd, Caernarfon, Tyddewi a Wrecsam – a'r cyfan yn cyfarfod fan hyn!"

Wrthi'n trafod lle fyddai'r Maes Awyr Cenedlaethol oedden ni wrth basio'r Bardd Plant a'r dosbarth lleol wrth y porth.

"Pan wnaeth Edward I ymosod ar y castell yma a chwalu rhannau ohono," meddai'r Bardd Plant, "rhoddodd waharddiad ar Lywelyn rhag ailgodi'r waliau. 'Chei di ddim cau'r Twll yn y Wal,' mynnodd Edward. Beth am inni sgwennu cerdd am 'Y Twll yn y Wal'?"

Nifer o ddilynwyr: 465

Tracs mêt Gruff
Prifddinas yn y canolbarth? Mi allem fynd i wylio gêm yn y Stadiwm Genedlaethol bob dydd Sadwrn wedyn!

Catrin mêt Gwen
Ond fyddem ni ddim yn cael aros yng nghanolfan yr Urdd yn y Bae pe byddai'r brifddinas yn fan hyn!

Tad-cu
Dim ond yn ddiweddar iawn mae'r Cymry wedi trwsio'r tyllau yn waliau Dolforwyn a'i gwneud hi'n bosib inni ymweld ag adfeilion y castell. Rwy'n cofio seremoni fawr gan CADW yn 2009 ar ôl iddyn nhw wneud gwaith cloddio yno.

Mae'n Sadwrn yr Eisteddfod Ryngwladol yn Llangollen heddiw a cawsom le da ar Stryd y Bont i wylio'r grwpiau o'r gwahanol wledydd yn dawnsio a chanu a seinio'u hofferynnau yn yr orymdaith fawr. Pawb yn eu dillad lliwgar traddodiadol, yn chwifio baneri ac yn ffrindiau!

"Cyfarfod ein gilydd mewn hwyl a heddwch," meddai Mam. "Dyna pam wnaeth y Cymry yn ardal Llangollen drefnu'r Eisteddfod Ryngwladol yma ar ddiwedd yr Ail Ryfel Byd."

"Rydych chi'n siarad Cymraeg," meddai merch ifanc wrth ein hymyl. "O! Am hyfryd. Rydw i'n dod o Siapan. Aiko ydi fy enw i. Rydw i wedi dysgu Cymraeg ar Skype oherwydd rydw i'n hoffi cerddoriaeth Cymru."

"O! Da iawn chi!" meddai Dad.

"Esgusodwch fi. Sut mae mynd i'r castell acw?" gofynnodd Aiko wedyn, gan bwyntio at yr adfail trawiadol ar ben y bryn yr ochr draw i'r bont.

"Mae llwybr yn mynd i fyny'r llethr yr ochr draw i'r bont," meddai Dad.

"Ydi e'n bell iawn?" gofynnodd Aiko.

"Na, rhyw dri chwarter awr efallai," atebodd Dad.

"A beth yw ei enw fe?" holodd Aiko.

"Castell Dinas Brân," meddai Mam. Trodd Aiko atom ni wedyn a gofyn, "Oes golygfa dda o fryn y castell yna?"

"Dydyn ni erioed wedi bod yno!" meddai Gwen.

"Hei!" meddai Mam. "Mae'n braf. Mae gennym ddwyawr wrth gefn. Beth am inni fynd am dro at Gastell Dinas Brân gydag Aiko?"

Ymhen rhyw chwarter awr, rydym wedi croesi'r bont dros afon Dyfrdwy ac yn dilyn yr arwyddion i fyny'r llethr uwch y dyffryn.

"Un arall o gestyll y Cymry, does dim rhaid ichi ddweud wrthon ni," meddai Gwen. "Mae'n rhaid dringo llwybr serth at bob un ohonyn nhw!"

FFOS

....

Cestyll ar greigiau oedd hoff amddiffynfeydd y Cymry – roedden nhw'n defnyddio llethrau serth fel rhan o'r amddiffynfeydd. Byddai patrwm y waliau allanol yn dilyn siâp y grib greigiog hefyd, gan greu patrymau diddorol ac anodd cyrraedd atyn nhw.

Mae Castell Dinas Brân yn nodweddiadol am fod ffos ddofn wedi'i cherfio i'r graig o gwmpas y waliau – gan wneud y castell yn llawer anoddach i'w gyrraedd. A hefyd, wrth gwrs, roedd yn chwarel gyfleus i gyflenwi cerrig i'r castell.

Mae ffosydd yn rhan hanfodol o amddiffynfeydd cestyll y Normaniaid hefyd – ond ffosydd wedi'u llenwi â dŵr yn aml roedd y rheiny yn eu ffafrio gyda phont godi at y porth.

'Moat' yw'r gair Saesneg am ffos o amgylch castell, a daw hwnnw o'r un gair Normanaidd â'r gair am domen y castell, sef *mote*. Roedd y Normaniaid yn creu *mote* drwy dorri ffos a phentyrru'r pridd a'r gro yn domen yn y canol.

"Mae hwn yn hŷn na thywysogion Cymru," meddai Dad. "Roedd gan y Celtiaid fryngaer ar y copa yma. Wyddoch chi, cloddiau a ffosydd o amgylch pen y bryn a phentref o dai crynion y tu mewn iddyn nhw."

"O! Mae'n serth!" meddai Aiko, ond gwenodd wrth ddweud hynny. "Ac am fod y Celtiaid mor hoff o chwedlau, gallwch fentro bod digon o straeon amdano," meddai Mam. "Glywsoch chi am Fendigeidfran y cawr, Aiko? Y fo ydi'r 'Brân' yn yr enw, ac mae chwedlau am Arthur a'r tylwyth teg yma hefyd."

"Mae'n edrych fel castell tylwyth teg o hyd!" meddai Aiko.

"Pan ddaeth un o'r Normaniaid yma," meddai Mam, "fe yrrodd neges at y brenin mai hwn oedd y castell cryfaf, mwyaf diogel yng Nghymru – ac nad oedd un cryfach na hwn yn Lloegr chwaith."

"Ac eto, mi lwyddodd y Normaniaid i'w ddwyn!" rhyfeddais.

"O na," meddai Dad. "Gruffudd ap Madog, tywysog Powys, a gododd y castell yma tua 1260. Erbyn 1276, roedd byddinoedd anferth Edward yn gwasgu ar wlad y ffin yn y fan hon. Penderfynodd y Cymry losgi'r castell yn hytrach na'i adael yn gadarnle i'r Normaniaid."

Erbyn hynny roeddem wedi cyrraedd y copa. O amgylch yr adfeilion roedd ffos ddofn wedi'i thorri i mewn i graig galed.

"Dyma ni," meddai Dad. "Roedd y Cymry'n torri ffos i'r graig ac yn defnyddio'r cerrig i adeiladu'r castell."

"Syniad da!" meddai Aiko. "Gwell na chario cerrig i fyny'r mynydd. Ond o! Yr olygfa ..."

Nifer o ddilynwyr: 523

Draig mêt Gruff
Merch o Siapan yn siarad Cymraeg! Gwych!

Gwcw mêt Gwen
Mae'r holl sôn yma am ddringo llethrau at gestyll yn fy ngwneud i'n sychedig iawn.

Nain
Mae Taid a finnau'n cofio bod ar bont Llangollen adeg y Steddfod flynyddoedd yn ôl – lle rhamantus iawn!

"Ydych chi ddim yn meddwl bod castell Normanaidd yn debyg i gosyn mawr o gaws?" gofynnodd Dad bore 'ma.

"Caws?" meddai Gruff. "Fe alla i weld bod cestyll y Cymry yn debyg i fynydd o *meringue* mawr blêr gyda mefus ar ei ben – ond pam caws?"

"Meddyliwch am y peth," meddai Dad. "Cestyll ar diroedd gwastad ydyn nhw – yn wahanol i gestyll pen creigiau y Cymry. Roedden nhw'n hoff o gael digon o le i greu siâp hirgrwn o amgylch y gorthwr a'r buarthau, yna ffosydd, yna waliau allanol – y cyfan fel rhyw gosyn mawr. Ac mae'r dref rydyn ni am ei gweld heddiw yn enwog iawn am gaws hefyd – caws Caerffili."

"Caerffili – hoff gaws Tad-cu," meddai Mam.

"A beth sydd yng Nghaerffili?" gofynnodd Gruff. "Castell arall sydd fel caws?"

"Tipyn bach mwy na hynny," atebodd Dad. "Mae'n ddiwedd Gorffennaf – mae'n Ŵyl y Caws Mawr yno. Ffair hwyl, perfformiadau, gŵyl fwyd, cerddoriaeth ..."

"A Ras y Caws Mawr!" meddai Mam.

Cerddom o amgylch rhwydwe eang o lynnoedd a ffosydd cyn cyrraedd y bont a'r porth. "Mae hwn yn anhygoel o fawr!" synnodd Gruff.

"Dyma'r castell mwyaf yng Nghymru," eglurodd Dad. "Mae'n un o'r rhai mwyaf yn Ewrop. Norman o'r enw Gilbert de Clare wnaeth ei godi, a hynny yn 1268 oherwydd ei fod yn ofni Llywelyn ap Gruffudd a'i ddylanwad. Erbyn hynny, roedd Llywelyn wedi uno Cymru gyfan heblaw am ambell ddarn bach o dir oedd dal yng nghrafangau Normaniaid barus fel de Clare. Roedd Llywelyn wedi cael ei gyhoeddi yn Dywysog Cymru, a bron pob arweinydd Cymreig a choron Lloegr yn ei gydnabod fel yr awdurdod pennaf dros y wlad. Roedd ei fyddinoedd wedi chwalu cadarnleoedd y Normaniaid ac roedd wedi ailennill llawer o'r tiroedd roedd y Cymry wedi'u colli i'r arglwyddi Normanaidd ar hyd y ffin. Yn 1270, daeth Llywelyn yma i Gaerffili a chwalu'r castell oedd ar hanner cael ei godi."

BARBICAN

Adeiladwaith ychwanegol yn y muriau allanol i amddiffyn tref neu gastell ydi'r 'barbican'. Unwaith eto, gair a ddaeth i Gymru gyda'r Normaniaid oedd hwn, ond mae'n hanu'n wreiddiol o eirfa'r Arabiaid.

Cafodd y Normaniaid lawer o'u syniadau am godi cestyll o Ryfeloedd y Croesgadwyr. Rhyfeloedd erchyll yn y Dwyrain Canol oedd y rhain pan oedd rhai o frenhinoedd Ewrop yn ymuno â'u gilydd i greu byddin o 'Gristnogion' i adennill Jeriwsalem o ddwylo'r Arabiaid neu'r

'Mwriaid', fel y caent eu galw yn y cyfnod hwnnw.

Weithiau bydd y barbican yn ddim mwy na wal gerrig drionglog i amddiffyn gwaelod y mur rhag cael ei dyllu. Dro arall, bydd yn adeiladwaith uchel o flaen neu uwchben y porth i roi llwyfan da i saethu neu hyrddio pethau ar ben ymosodwyr. Yng Nghaerffili, mae cyfres o dyrau ychwanegol yn y wal allanol, yn bochio allan o'r wal, ac yn ei gwneud hi'n anoddach i ymosodwyr.

"Ond roedd hi'n amlwg bod y Normaniaid yn hoffi'r safle yma," meddai Gruff. "Yn eu holau y daethon nhw, ynte?"

"Ie – a chodi hwn a'i gryfhau o flwyddyn i flwyddyn," atebodd Mam. "Ofni i'r Cymry uno gyda'i gilydd eto sydd i'w deimlo yma. Mae'r waliau'n crynu gan yr ofn hwnnw!"

"Dyna pam fod y tŵr acw'n gam ac yn edrych fel petai am ddisgyn?"

"Ie, mae un tŵr yng nghastell Caerffili sy'n fwy cam na'r un yn Pisa, hyd yn oed! Mae'r tŵr de-ddwyreiniol yno yn gwyro 10° o fod yn sgwâr – canlyniad i ddifrod a wnaed gan fyddin Oliver Cromwell, mae'n debyg. Mae cerflun o ddyn pren yno yn cynorthwyo i gadw'r tŵr rhag disgyn erbyn hyn."

"Ond er mor gryf oedd y castell yma," meddai Dad, "wnaeth hynny ddim rhwystro'r Cymry rhag ceisio'i gipio. Yn 1316, dyma Llywelyn Bren – un o ddisgynyddion Ifor Bach – yn arwain gwrthryfel y Cymry drwy sefydlu gwarchae yma yng Nghaerffili ac ymosod ar lawer o gestyll y Normaniaid ym Morgannwg. Pan drodd pethau yn ei erbyn, rhoddodd ei hun yn nwylo'r Normaniaid gan ddweud ei bod hi'n well i un dyn gael ei gosbi na bod cenedl gyfan yn cael ei chwalu."

"A beth ddigwyddodd i Llywelyn Bren?" gofynnodd Gruff.

"Yn 1318 cafodd ei ladd mewn ffordd farbaraidd iawn yng Nghaerdydd," atebodd Dad.

"Maen nhw'n dal i sôn am godi cofeb i Lywelyn Bren," meddai Mam.

Nifer o ddilynwyr: 613

Angel mêt Gwen
Ffair mewn castell! Swnio'n wych!

Gwil mêt Gruff
Lladd arwr oedd lladd Llywelyn Bren!

Tad-cu
Dewch â thipyn bach o gaws Caerffili adref gyda chi!

Rydym newydd ddychwelyd o drip adran hanes yr ysgol – llond bws ohonon ni'n mynd ar daith i ogledd-ddwyrain Cymru. Bu Mrs Morgan, yr athrawes, yn esbonio tipyn i ni.

"Rydych chi'n astudio hanes Rhyfel Annibyniaeth Cyntaf Cymru ar hyn o bryd, a dyna bwrpas ymweld â'r lleoedd ar y daith yma. Erbyn Cytundeb Trefaldwyn 1267, roedd Cymru yn wlad unedig, newydd yn Ewrop gyda Llywelyn yn dywysog cryf arni. Byddwn yn galw yng nghastell Llywelyn yn Ewlo yn gyntaf – un o'r cestyll Cymreig yn y gogledd-ddwyrain. 'Y castell yn y coed' ydi'r enw ar hwn, a chafodd ei atgyfnerthu gan Llywelyn i amddiffyn y tir roedd y Cymry wedi'i adennill oddi ar y Normaniaid yma."

Lle anhygoel ydi castell Ewlo, heb fod ymhell o'r ffin ar y ffordd i Gaer. Mae'n rhaid cerdded ar draws cae ato. Doedd dim golwg o gastell yn unman, ac yna – dacw fo mewn pant coediog, yn edrych yn heriol a chadarn o hyd. O Ewlo, aethom i gyfeiriad yr arfordir.

"Daeth Edward I yn frenin Lloegr yn 1272," meddai Mrs Morgan. "Anifail o ddyn oedd Edward, un creulon a difaddeuant – hyd yn oed gyda'i deulu ei hun. Roedd hefyd yn uchelgeisiol. Y Brenin Arthur oedd ei arwr ac roedd eisiau dod yn ben ar holl wledydd Prydain – yn union fel roedd Arthur wedi trechu'r Sacsoniaid yn y 6ed ganrif. Yn ystod ei oes, arweiniodd fyddinoedd anferth yn erbyn yr Alban. Ond cyn hynny, roedd ei lygad ar Gymru.

"Mae'n rhaid bod Edward wedi astudio hanes ei deulu. Dysgodd oddi wrth ei gamgymeriadau ei hun yn 1263 a'i dad yn 1257, a sawl brenin arall oedd wedi dod â byddinoedd anferth i ogledd Cymru, ond heb lwyddo i drechu'r Cymry. Sut oedd y Cymry'n ymladd?"

"Ymosod yn sydyn!" atebodd Gwcw.

"Defnyddio'r coed a'r creigiau," ychwanegodd Angel.

"Da iawn chi," meddai Mrs Morgan. "Ymladdwyr gerila yn defnyddio'r tir o'u plaid oedd y Cymry a doedd gan fyddin fawr, ara deg, gyda llawer o offer a wageni ddim gobaith yn eu herbyn. Beth wnaeth Edward yn 1277 oedd dod o Gaer i ogledd-dwyrain Cymru gan ddilyn y tir gwastad wrth

BASTIDE

....

Tref neu bentref wedi'i amddiffyn gan furiau castellog ydi *bastide* – enw o'r hen Ffrangeg eto ac mae'n cael ei ddefnyddio o hyd yn ardal Profens yn ne-ddwyrain Ffrainc am y pentrefi caerog ar ben gopa bryniau yno.

Y *bastide* Normanaidd cyntaf yng Nghymru oedd yr un a adeiladwyd yn 1277 yn y Fflint. Tref i fewnfudwyr o Loegr oedd hi. O'r awyr, mae patrwm strydoedd tref y Fflint heddiw yn dangos patrwm grid y dref gastellog wreiddiol.

Codwyd y castell a'r dref mewn llecyn lle nad oedd yr un dref na phentref cyn hynny – dewis darn 'gwag' o dir, a chreu cynllun uchelgeisiol ar ei gyfer. Mae'r dref a'r castell yn rhannu'r amddiffynfeydd. Dyma batrwm a welwyd wrth sefydlu nifer o drefi Normanaidd yng nghesail cestyll yn ddiweddarach – yn Aberystwyth, Caernarfon a Chonwy yn arbennig.

Cafodd y dref ei llosgi gan y Cymry yn 1282 ac yn 1294, a gan Owain Glyndŵr yn 1400.

yr arfordir yma. Mi wnaeth ffordd dda a chlirio llawer o goed o Gaer i Ddeganwy, gan ddefnyddio llongau ar y môr i gario offer ac arfau. Doedd dim coed ar ôl, ac felly doedd dim cysgod i fyddin Llywelyn ymosod ar y goresgynwyr."

Erbyn hyn roedd y bws wedi cyrraedd maes parcio castell y Fflint. Roedd morfa afon Dyfrdwy o'n blaenau, y môr, ac yno yng nghanol ei ffosydd a'i gloddiau amddiffynnol roedd tyrau mawr crwn y castell. Cyn hir roeddem wrth y gorthwr mawr.

"Mae waliau'r tŵr mawr yma yn 23 troedfedd o drwch!" meddai Mrs Morgan. "Mae'n gastell o fewn castell ac yn debyg i ambell dŵr mawr arall yn Ffrainc. Dyn o Ffrainc – Mr James o St George – oedd prif bensaer cestyll Edward. Dechreuodd Edward adeiladu'r castell yn haf 1277 wrth ryfela yn erbyn Llywelyn. Daeth â gweithwyr yma o ganol Lloegr – 970 o gloddwyr, 300 saer, 300 o dorwyr coed, 200 saer maen a 12 gof. Costiodd y cyfan £7,000 iddo – dros £3 miliwn yn ein harian ni heddiw. Roedd Edward yn frenin uchelgeisiol. Doedd ganddo ddim ofn gwario."

Roeddem yn dawel wrth gerdded o amgylch y tyrau mawr crwn oedd yn edrych fel set o ddrymiau i gawr. Wrth wrando yn astud, mae curiad trwm, trwm i'w glywed yno hyd heddiw.

Nifer o ddilynwyr: 745

Bîns mêt Gruff
Mae'n anhygoel meddwl bod y Cymry wedi mentro ymosod cynifer o weithiau ar le mor gadarn. Yma o hyd!

Nerys mêt Gwen
Edward yn swnio yn hen fwli mawr pwerus.

Taid
Mi wn i am gân am hen asyn a fu farw wrth gario glo i'r Fflint. Oedd hwnnw'n perthyn i Edward, tybed?

O gastell Fflint, dyma'r bws yn mynd â ni i gastell Rhuddlan.

"Hwn ydi'r castell olaf y byddwn yn ei weld heddiw," eglurodd Mrs Morgan. "Gewch chi fynd o amgylch y safle eich hunain. Rydych chi'n gyfarwydd gyda'r prif nodweddion bellach. Sylwch ar gryfder y tyrau a'r waliau, ond cofiwch fynd draw at y tŵr unigol wrth yr afon a gweld olion y cei yno."

"Tyrd, Gruff," meddai Gwcw drwy'r porth mawr rhwng y ddau dŵr yna.

"Hei, edrych," meddai Gruff ar ôl iddyn nhw gyrraedd y buarth mewnol. "Mae dau dŵr a phorth union yr un fath yn y gornel bellaf groes-gongl o'r porth yma."

"Mae'r castell yn hollol sgwarog, a phob patrwm yn cael ei ailadrodd," sylwodd Gwcw. "Mae'n debyg ar y naw i fwrdd chwarae Liwdo!"

Ymhen rhyw hanner awr, galwodd Mrs Morgan ni yn ôl i ganol y castell.

"Y castell yma oedd canolfan gyntaf Edward yng Nghymru," meddai. "Yn wahanol i frenhinoedd eraill o Lundain, doedd dim rhaid iddo ddianc yn ôl i gestyll Lloegr pan fyddai'r gaeaf yn dod ar ei warthaf. Roedd yn glyd ac yn ddiogel yma yng nghryfder y castell. Sefydlodd dref eto yng nghysgod ei waliau ac roedd mewn safle gref."

"Ond roedd Llywelyn yn rhydd o hyd?" gofynnais.

"O oedd, wrth gwrs," atebodd Mrs Morgan. "Yr ochr draw i afon Conwy, roedd y mynyddoedd uchel yn gastell naturiol i'r Cymry. Fentrai Edward ddim pellach nag yma. Ond roedd yn dal i lygadu Cymru gyfan ac yn dal i gynllwynio a chreu rhaniadau rhwng Llywelyn a'i gyd-Gymry. Peth arall wnaeth Edward oedd dechrau defnyddio cyfraith Lloegr yng Nghymru."

"A chael gwared ar hen gyfraith y Cymry – Cyfraith Hywel Dda?" meddai Gruff.

"Ie. Roedd hyn yn dân ar groen y Cymry ac yn 1282, dechreuodd Ail Ryfel Annibyniaeth Cymru. Ymosododd Dafydd, brawd Llywelyn, ar gastell Penarlâg a'i ddwyn o ddwylo'r Normaniaid.

CEI

....

Pan oedd hynny'n bosib, roedd Edward I yn defnyddio coed a meini lleol i godi cestyll. Os oedd angen mwy o gerrig, neu galch a gro, byddai llongau yn eu cario o chwareli ardal Caer a Chilgwri.

Ar adeg o ryfela, roedd cysylltiad cyflym dros y môr yn allweddol i amddiffyn y cestyll a'r garsiynau o'u mewn hefyd. Oherwydd hynny, mae'r rhan fwyaf o'r 14 castell newydd a gododd Edward yng ngogledd Cymru ar yr arfordir, ac mae cei neu harbwr yn rhan allweddol o'r cynllun.

Castell ar lan afon Clwyd a geir yn Rhuddlan. Mae'n safle bwysig, yn rheoli rhyd ar draws yr afon – ond beth am gymorth gan longau? Yr hyn wnaeth penseiri Edward oedd adeiladu clamp o gamlas o'r môr i mewn i gesail y castell newydd. Roedd 66 o weithwyr yn gweithio chwe diwrnod yr wythnos am dair blynedd arni – dyna pa mor bwysig oedd cefnogaeth y llongau i gestyll Edward. Mae pedwar porth i gastell Rhuddlan, ac un o'r rhai mwyaf allweddol yw Porth y Cei.

Daeth Edward â byddin enfawr ar hyd arfordir y gogledd, ond wrth iddi geisio croesi o Fôn i'r tir mawr, cafodd ei chwalu gan y Cymry ym mrwydr Moel-y-don. Aeth Llywelyn i ganolbarth Cymru i geisio mwy o gefnogwyr, ond cafodd ei ladd mewn ymosodiad sydyn arno ar lan afon Irfon yng Nghilmeri yn Rhagfyr 1282. Pan sylweddolodd y Norman pwy roedd o wedi'i ladd, torrodd ei ben i ffwrdd a'i gario yma i Ruddlan i'w ddangos i Edward."

"Pen Llywelyn!" gwaeddodd Gwcw. "Fe gafodd pen Tywysog Cymru ei gario i mewn i'r castell yma?"

"Do," meddai Mrs Morgan. "Ac oddi yma wedyn dros afon Hafren yr holl ffordd i Lundain i'w osod ar y Tŵr yn y fan honno. Yn Hydref 1283, daeth Dafydd, brawd Llywelyn, yma yn garcharor. Oddi yma aed ag ef i Amwythig i'w lusgo y tu ôl i geffylau, hanner ei ladd, ei grogi a thynnu ei berfedd cyn iddo farw. Torrwyd ei gorff yn bedwar darn i'w rhannu rhwng trefi mawr Lloegr ond aed â'i ben i'w osod wrth ochr pen ei frawd ar Dŵr Llundain."

"Ych! Mae gwaed y Cymry yn dal yn goch ar waliau'r castell yma," meddai Gruff.

"Yna yn 1284, pasiodd Edward ddeddf yn y senedd-dy yn y dref hon – Statud Rhuddlan oedd ei henw. Roedd teyrnas Llywelyn bellach yn eiddo i'r brenin a chafodd ei rhannu yn dair sir yn y gogledd – Môn, Caernarfon a Meirionnydd – a dwy yn y de – Ceredigion a Chaerfyrddin. Roedd wedyn yn penodi swyddogion i lywodraethu'r Cymry ar ei ran – ustusiaid, siryfion a rhingylliaid."

"Cymru druan!" meddai Gruff. "Mae'n rhaid bod y wlad yn diodde'n enbyd yn y 1280au dan fawd llywodraeth y cestyll yma."

Catrin mêt Gwen
Chwarae Liwdo mewn castell – mae honno'n swnio'n gêm dda.

Tracs mêt Gruff
Cestyll y gwaed oedd cestyll Edward.

Mam-gu
Rwy'n cofio darllen hanes am ddarn o femrwn oedd yn cofnodi 'rhodd y brenin' yng nghestyll Edward. Roedd yn rhoi cyflog i'w filwyr am bob pen – a hwnnw'n Gymro – roedden nhw yn ei gario yn ôl i'r castell.

"Mêl iach y fro! Mêl Conwy!" gwaeddodd y stondinwr dros y sgwâr. Mae hi'n 13eg o Fedi ac rydyn ni wedi bod yn Ffair Fêl Conwy heddiw.

"Mae hon yn hen ffair, yn mynd yn ôl i gyfnod y castell," nododd Mam. "Roedd y brenin yn rhoi siarter i drefi'r cestyll – rhoi hawl i'r bwrdeisiaid gynnal marchnadoedd a ffeiriau arbennig. Mae Ffair Hadau Conwy yn dal i gael ei chynnal ar 26ain o bob mis Mawrth a'r Ffair Fêl heddiw."

"Chwilio am fêl ydych chi?" holodd y stondinwr. "Dyma fêl o flodau gwylltion Dyffryn Conwy. Chewch chi ddim gwell!"

"Wyddwn i ddim fod cymaint o gynhyrchwyr mêl yn yr ardal," meddai Dad gan edrych ar draws y sgwâr ac i lawr y brif stryd.

"Mae rhyw bump ar hugain o stondinwyr yma heddiw," meddai'r melwr, "pob un gyda'i gynnyrch ei hun. Roedd hi'n haf heulog eleni, yn doedd, felly mae'r cychod gwenyn yn llawn."

"Ac mae gennych chi hawl i werthu mêl yn y ffair hon ers dyddiau Edward I?" gofynnodd Mam.

"Wel, ddim fi'n bersonol!" chwarddod y melwr. "Dydw i ddim mor hen â hynny! Ac wrth gwrs, dwi'n Gymro – fyddwn i ddim yn cael tir i gadw gwenyn o fewn muriau'r dref, na chwaith yn cael byw yma nac yn cael bod yn fasnachwr yma."

"Sut oedd y Cymry lleol yn byw, felly?" gofynnodd Gwen.

"Roedd yn rhaid iddyn nhw ddod â'u mêl, caws, menyn, wyau, cig ac ati i fasnachwyr y dref ac roedd y rheiny'n dweud wrthyn nhw beth oedd y pris."

"A hwnnw'n isel, mae'n siwr!" meddai Dad.

"Yn naturiol," meddai'r melwr. "Prynu'n rhad a gwerthu'n ddrud oedd y drefn yn nhrefi'r cestyll. Ond mae'n wahanol heddiw, wrth gwrs. Mae'r pris am y potyn o fêl yma'n fargen a hanner!"

"Ddown ni i'w brynu ar y ffordd yn ôl o'r castell," addawodd Mam.

"Falle bydd pob potyn wedi mynd erbyn hynny! Mêl Conwy!"

Cerddom drwy'r dyrfa a cyrraedd porth y castell lle roedd llond bws o Ffrancwyr yn siarad yn gyffrous wrth ddangos eu tocynnau mynediad a cherdded dros y bont i'r buarth cyntaf. Roedden ni'n gallu clywed ambell gymal o sgwrs eu harweinydd: " ... *Monsieur Jacques de Saint Georges ... Français ...*"

"Sôn am bensaer y castell mae hi," meddai Mam. "Ac yn naturiol, mae hi'n falch iawn mai Ffrancwr a wnaeth gynllunio'r castell arbennig yma."

"... sur la liste du patrimoine mondial ... UNESCO ..."

"Mae'n tynnu eu sylw nhw fod y castell yma a muriau'r dref ar restr Safleoedd Treftadaeth y Byd gan UNESCO," cyfieithodd Mam.

"Mae hwn yn wahanol i'r cestyll Normanaidd gwastad a chrwn," sylwodd Gwen. "Mae hwn wedi'i godi ar graig, yn debyg iawn i gestyll y Cymry, yn tydi?"

"Roedd hen dref gan y Cymry yma," eglurodd Dad, "ond cafodd honno ei chwalu, a symudwyd yr abaty ac arch garreg Llywelyn Fawr a llawer o hen drysorau'r Cymry oddi yma gan Edward."

"... deux ans ..." meddai'r cyflwynydd.

TOURELLE

Mae Castell Conwy yn cynnwys wyth tŵr cadarn, agos at ei gilydd ar y graig. Ond wrth sylwi'n ofalus gallwn weld fod pedwar tŵr cul yn codi'n uwch na'r gweddill. Y gair Ffrengig *tourelle* yw'r enw ar yr uwchdyrau hyn, ac roedd yn un o driciau amddiffyn y pensaer.

Mae 21 o dyrau yn wal tref Conwy. Dyma un o'r safleoedd cadarnaf – a'r un mwyaf costus i gyd – a adeiladwyd gan Edward I. Ond yn 1401, disgynnodd y castell i ddwylo Gwilym a Rhys Tudur wrth iddyn nhw ei hawlio yn enw eu tywysog, Owain Glyndŵr. Doedd system y cestyll ddim yn effeithiol yn erbyn gwrthryfel cenedlaethol Glyndŵr a gadawyd y rhan fwyaf ohonyn nhw i adfeilio ar ôl hynny.

"Dwi'n cofio hynny o fy ngwersi Ffrangeg yn yr ysgol!" meddai Gwen yn gyffrous. "Dwy flynedd ddwedodd hi."

"Ie, cafodd y cyfan ei godi mewn dwy flynedd rhwng 1283 a 1285," esboniodd Dad. "Roedd Edward ar frys gwyllt ac yn ofni'r Cymry o hyd." Roeddem yn rhan bellaf y castell erbyn hynny, lle roedd stafelloedd moethus a diogel i'r brenin a'r frenhines.

"... *les chambres du roi et la reine ...*"

"Mêl Conwy!" Drwy lwc, roedd gan y melwr beth o'i gynnyrch ar ôl ar ei stondin wrth inni gerdded yn ôl drwy'r sgwâr. "Beth welsoch chi yn y castell?" gofynnodd wrth roi'r newid am ddau botyn inni.

"Stafell y frenhines," meddai Gwen.

"O, mae stafell y frenhines i'w gael ym mhob cwch gwenyn hefyd. Ond mae stori dda am fêl a'r castell: Yn 1294, roedd y Cymry wedi cael llond bol ar lywodraeth y cestyll – y trethi trymion, y cyfreithiau annheg. Cychwynnodd gwrthryfel yng Ngwynedd dan arweiniad Madog ap Llywelyn. Roedd Edward a'i fyddin fawr wedi'u carcharu yn y castell, gyda saethwyr y Cymry ar y cribau uchel o gwmpas y castell. Doedd neb yn medru mynd i mewn nac allan. Roedd hi'n rhy stormus i longau hwylio yma gyda bwyd o Gaer. Roedd y fyddin a'r brenin yn llwgu a bron iawn ag ildio i'r Cymry. Yr unig bethau wnaeth eu cadw nhw'n fyw oedd dŵr o'r ffynnon a mêl Conwy. Mêl Conwy!"

Nifer o ddilynwyr: 873

Draig mêt Gruff
Mae'r ddraig goch yn uwch na'r tyrau uchel o hyd!

Gwcw mêt Gwen
Dim Cymry yn y dref! Hen frenin hiliol oedd Edward.

Nain
Mêl at y gaeaf – rydych chi'n blant lwcus dros ben!

Yng Nghaernarfon fuon ni heddiw, lle gwelsom ni actor wrthi'n perfformio sioe Cymeriad Mewn Hanes yn y buarth mewnol mawr a braf yn y castell. Roedd yn gwisgo crys heb goler a chap chwarelwr ond roedd ganddo hefyd drowsus gwyrdd, llac, bwa a chawell saethau ar ei ysgwydd, a dim am ei draed. Ymunom â chriwiau o ysgolion lleol oedd wedi dod i weld y sioe – ac i gymryd rhan ynddi.

"Croeso i gastell Caernarfon!" meddai'r cymeriad. "Drama un dyn sydd gen i ichi – ond rydych chithau'n rhan o'r ddrama hefyd. Edrychwch o'ch cwmpas. Dyma un o gestyll gwychaf y byd. Mae'n theatr o gastell. Mae'n set ffilm o gastell ac mae'r ffilm yn dweud stori wrthyn ni. Cawr o gastell a'i draed yn afonydd Menai a Seiont, ei dyrau yn codi dyrnau yn erbyn copaon Eryri ar y gorwel. Dyma un o safleoedd mwyaf chwedlonol o hanesyddol y Cymry, ac am dros ddau gan mlynedd bu'r Normaniaid yn ceisio meddiannu'r darn hwn o dir. Dewch gyda fi!"

Fe ddilynon ni'r actor i ran uchaf y buarth lle roedd cylch llechen fel llwyfan ar y glaswellt.

"Madog ydi fy enw i. Fi oedd un o'r Cymry oedd yn gwylio byddin o weithwyr yn codi'r tyrau a'r muriau, ac yn codi harbwr ar lan y Fenai i ddod â cherrig yma o chwareli yn Lloegr. Y fi oedd yma hefyd yn chwarelwr yn Ninorwig pan oedd llechi yn dod i lawr ar y trên bach o Lanberis ac yn mynd ar longau o'r Felinheli gyfagos i ddinasoedd ar draws y byd."

Gwnaeth yr actor i ni smalio bod yn rhan o fyddin Madog ap Llywelyn oedd wedi colli llawer o diroedd ei deulu i'r Normaniaid. Ceisiodd adennill y tir yn un o lysoedd y Normaniaid ond "Na!" oedd ateb Uchel Siryf Môn i gais Madog. Roeddem felly'n rhan o fyddin Madog yn 1294 yn dial ar yr Uchel Siryf ac yn croesi o Fôn i Gaernarfon.

"Mae'r gweithwyr wedi gorffen y tyrau a'r harbwr ar ochr afon Menai," meddai'r actor. "Ond mae twll yn y waliau yn y cefn a dyna sut y down ni i'r dref ac i'r castell, a llosgi'r adeiladau a meddiannu'r lle am chwe mis."

Am rai munudau, buon ni'n gweiddi a thaflu ffaglau tân dychmygol o gwmpas ward mewnol y castell. Yna cododd Madog ei law i'n tawelu.

TÔR YR ERYR

....

Lle mae afonydd Menai a Seiont yn cyfarfod, mae tŵr enwocaf Cymru, Tŵr yr Eryr, gyda thri uwchdwr cryf ar ei ben. O ddau o'r uwchdyrau hynny, cwyd mastiau baneri. Heddiw dwy ddraig goch sydd ar y mastiau.

Mae'r enw yn un diddorol. Roedd eryrod yng Nghymru yn y cyfnod hwnnw. 'Aderyn uchel' ydi ystyr 'eryr' (a 'mynyddoedd uchel' ydi ystyr Eryri). Yr eryr yw brenin yr adar, wrth gwrs, ac roedd tri eryr ar darian Owain Gwynedd, un o brif dywysogion Cymru.

Mae'n wir mai theatr o gastell yw hwn – ar ben Tŵr yr Eryr, mae cerfluniau o eryrod carreg i'w gweld hyd heddiw.

Ond bu drama fawr yma yn 1932. Roedd y Cymry wedi galw am weld Draig Goch ar Dŵr yr Eryr ar Ddydd Gŵyl Dewi. "Na!" meddai'r Uchel Siryf. Dringodd criw o bobl ifanc i ben Tŵr yr Eryr, tynnu'r hen faner i lawr a chodi'r Ddraig Goch i'r awyr. Mae hi'n cael ei chwifio yno fyth ers hynny.

"Ond wrth gwrs, dydi cerrig ddim yn llosgi. Ar ôl gwrthryfel Madog, aeth y gwaith adeiladu yn ei flaen. Am ddeugain mlynedd bu'r Normaniaid yn adeiladu'r castell hwn – roedd yn rhaid i'r theatr hon fod yn berffath."

Fe'n harweiniodd at Dŵr y Frenhines.

"Bu Eleanor o Castile, gwraig Edward, yn aros yma yn 1284, er nad oedd y tŵr wedi'i orffen bryd hynny. Tra oedd hi yng Nghaernarfon ganwyd ail fab iddi – Edward – ac mae traddodiad ei fod wedi cael ei alw'n 'Dywysog Cymru'. Felly dyma'r teitl 'Tywysog Cymru' yn cael ei gario o'r wlad hon dros afon Hafren i Lundain."

Roedden ni bellach yn ôl ar y cylch llechi.

"Chwarelwyr ydan ni i gyd rŵan. Dwi eisiau ichi gario slabiau anferth o lechi o'r chwarel ac i mewn i'r castell yn fan hyn. Dyna chi, chwech ohonoch chi'n cario pob un. A gosodwch nhw yma. Pam, meddech chi? O, mae hi'n 1969 erbyn hyn ac mae'r chwarelwyr yn paratoi llwyfan yn y castell i ddod â'r teitl 'Tywysog Cymru' yn ôl dros afon Hafren i Gaernarfon dros dro. Ond ..."

Roedd pawb yn hollol ddistaw wrth wylio Madog yn tynnu'i gap a'i daflu ar lawr.

"... Addawyd bywyd newydd i Gymru. Y byd yn dod i Gymru. Ymwelwyr! Cyfoeth! Ond beth ddigwyddodd? Ar ôl i'r teitl fynd yn ôl dros afon Hafren, caewyd y chwarel gan adael Madog a 300 o chwarelwyr yn ddi-waith."

Nifer o ddilynwyr: 936

Angel mêt Gwen
Mae'r eryrod wedi gwneud eu gwaith ar Dŵr yr Eryr felly!

Gwil mêt Gruff
Dwyn tir y Cymry! Dwyn teitl y Cymry! Yr un hen stori ...

Tad-cu
Rydyn ni wedi bod yn Amgueddfa Lechi Cymru yn Llanberis – un o chwareli llechi mwyaf y byd ar un adeg, gyda dros 3,000 o weithwyr ynddi.

"Edrychwch ar y llun yma o gastell Biwmares o'r awyr," meddai Dad. "Mae'n edrych fel castell Lego, mae'r cynllun mor berffaith."

Heddiw, buom i weld yr olaf o gestyll mawr Edward i gael ei godi yng Nghymru. Hwn ydi'r un mwyaf perffaith, efallai, gyda'r pensaer James o St George wedi cael dewis ei leolad a chlirio'r safle er mwy creu ei gampwaith. Mae'n edrych fel cylch o fewn cylch – cylch o ffosydd dŵr allanol, bocs o wal a thyrau, yna mur gyda thyrau crwn anferth y tu mewn i hwnnw ac yna castell cadarn o fewn hwnnw.

"Hwn oedd y castell a fu bron â bod yn gyfrifol fod Edward wedi chwalu'r banc a gwneud ei deyrnas yn fethdalwr," meddai gwraig mewn caffi ar y stryd wrthym wedyn wrth dderbyn ein harcheb. "Mi wariodd Edward tua £40 miliwn ar y cestyll Cymreig yn ôl arian heddiw – y prosiect adeiladu drutaf drwy Ewrop yn yr Oesoedd Canol. Roedd pob brwydr yn costio iddo gan ei fod yn prynu llongau a morwyr o borthladdoedd de Lloegr, saethwyr bwa croes o Gasgwyn, marchogion rhyfel o gestyll Lloegr, ac ar un adeg dros 15 mil o filwyr traed o bob rhan o Ewrop. Roedd Gwrthryfel Madog wedi costio tua £30 miliwn iddo yn arian heddiw – dyna pa mor benderfynol oedd Edward i geisio rheoli ein gwlad ni."

Toc daeth hi'n ôl gyda phot mawr o de a chacenni cri.

"Dyma chi, te Cymreig ichi!" meddai'r wraig glên. Ond roedd ganddi damaid arall o stori inni hefyd. "Roedd Gwrthryfel Madog wedi dychryn y Normaniaid – wnaethon nhw fyth ddychmygu y byddai'r Cymry'n medru taro'n ôl. Felly, er gwaetha'r holl wario, roedd yn rhaid iddyn nhw wario mwy eto i greu castell Biwmares fel bod ganddyn nhw sefydliad milwrol mawr bob pen i afon Menai. *'Beau mareys'* meddai'r Normaniaid – corsdir hyfryd! Ond roedd yna bentref Cymreig yma o'r enw Cerrigygwyddyl, a phorthladd Cymreig yn Llanfaes. Cafodd y rheiny eu chwalu a'r bobl eu symud o'r tiroedd da yma i dwyni tywod Niwbwrch."

Gadawodd y wraig eto i weini ar fwrdd arall.

"Allwch chi feddwl sut oedd y Cymry rheiny'n teimlo?" meddai Gwen. "Gorfod gadael eu tai a'u

DⓌR

....

All y castell cryfaf ddim bodoli heb ddŵr. Oherwydd bod cynlluniau amddiffyn y Normaniaid yn aml yn cynnwys ffosydd dyfnion, roedd y rheiny'n cael eu llenwi dro ar ôl tro gan ddŵr llanw gan fod eu cestyll ar yr arfordir.

Ond roedd dŵr glân i'w yfed y tu mewn i'r castell yn hanfodol hefyd. Os byddai'r castell yn cael ei warchae gan fyddin y tu allan i'r waliau, roedd yn rhaid cael ffynnon y tu mewn i'r waliau. Dyna pam fod ffynnon yn hollbwysig ym mhob castell. Weithiau – fel yng nghastell Conwy – roedd yn rhaid creu siafft ddofn drwy graig noeth i gyrraedd y dŵr. Gan fod castell Biwmares wedi'i godi ar gors, doedd dŵr ddim yn brin!

ffermdai, a mynd i fyw i ardal o dwyni tywod."

Wrth iddi basio ein bwrdd ar y ffordd yn ôl gyda'r archeb, cafodd gwraig y caffi air bach arall gyda ni.

"Ond fe wnaeth Owain Glyndŵr ddangos iddyn nhw! Y nhw â'u cestyll crand a'u cynlluniau perffaith. Mi losgodd Glyndŵr eu tref nhw a meddiannu'r castell am ddwy flynedd."

Aeth tua'r gegin gyda gwên ar ei hwyneb. Pan ddaeth yn ôl gyda thebotaid arall o de, gofynnodd Mam iddi: "Mae'n braf cael yr holl hanes yma gan rywun lleol. Un o Fiwmares ydych chi?"

"Na," meddai. "Un o Niwbwrch."

Nifer o ddilynwyr: 987

Bîns mêt Gruff
Y te Cymreig yn swnio'n dda!

Nerys mêt Gwen
Symud y Cymry i wneud lle i'r castell – oi, oi, oi!

Taid
Welson ni le yn Sain Ffagan wedi'i godi ar batrwm un o hen adeiladau Niwbwrch. Llys Llywelyn yw ei enw.

Mae hi'n eisteddfod yr ysgol cyn bo hir ac rydyn ni wedi bod yn un o gestyll Bro Morgannwg i ymarfer yr ymgom rydyn ni wedi'i sgwennu gyda'n gilydd.

Dyma'r olygfa, felly. Haf 1401. Mae byddin Glyndŵr yn taro yn erbyn y Normaniaid ym mhob cwr o Gymru. Un dydd mae Glyndŵr ar ddolydd afon Dyfrdwy ac yn cael cymorth y llifogydd i drechu'r gelyn. Yna, mae'n defnyddio'r llechwedd a'r machlud i gael buddugoliaeth dros fyddin fawr ar Bumlumon. Yn fuan wedyn mae yn y Fenni. Mae'r Normaniaid drwy Gymru yn nerfys iawn. Un o'r rheiny yw Syr Lawrens Berclos, cwnstabl castell Coety – castell sydd wedi cael ei adnewyddu yn weddol ddiweddar. Mae Syr Lawrens yn meddwl y byd o'i gastell, a Gruff sy'n chwarae'r rhan. Gadewch i ni wybod be rydych chi'n feddwl o'r sgript!

Syr Lawrens: O, beth wnaf i? Dyma fi ar dŵr fy nghastell hoff. Ond rwyf yn rhedeg yn ôl ac ymlaen i'r *garderobe* drwy'r dydd, bob dydd. Mae pilipalod yn dawnsio yn fy mol a does gen i ddim rheolaeth o gwbwl ar fy stumog. Rwy'n ofni gweld byddin y cnaf Owain Glyndŵr yna yn dod i lawr o'r bryniau i falu fy nghastell hardd, fel haid o anifeiliaid. O na! Mae dau ar gefn ceffyl yn dod ar hyd y ffordd at y porth. Pwy goblyn ydi'r rhain? Hoi! Meistr y porth! Gwaedda arnyn nhw drwy'r twll saethu. Rwyf eisiau gwybod pwy ydyn nhw a beth yw eu busnes yma. O! Rhaid i minnau fynd i wneud fy musnes hefyd ...

Erbyn i Gruff ddod yn ôl i'r llwyfan, mae wedi cael yr atebion gan Feistr y Porth.

Syr Lawrens: Beth? Maen nhw'n siarad Ffrangeg? Dau Norman parchus ydyn nhw? Wel, agor y porth! Dangos tipyn o groeso! Falle y cawn ni'r hanes diweddaraf am yr Owain anwaraidd yna. A! *Bienvenu mes amis.* Croeso fy nghyfeillion. Fe wnaiff y gweision edrych ar ôl y meirch. Dewch i'r neuadd foethus yma i gael gwydriad o win ar ôl eich taith flinedig.

Fi sy'n chwarae Owain Glyndŵr, ac mae'n rhaid i mi gofio gwneud acen Ffrengig!

Owain Glyndŵr: *Merçi.* Mae croeso cynnes Syr Lawrens Berclos yn enwog o Gymru i Ffrainc. Dyma bleser yw cael eich cyfarfod, syr.

Syr Lawrens: Twt, twt! Rhaid i ni'r Normaniaid edrych ar ôl ein gilydd y dyddiau duon hyn. Gawsoch chi unrhyw drybini ar eich taith? Unrhyw olwg o Owain …?

Owain: Fe welson ni dri chastell a thair tref wedi'u llosgi rhwng y fan hyn ag Amwythig, gyfaill.

Syr Lawrens: O! *Sacre bleu*, nefi blw. Esgusodwch fi am funud – rhaid i mi fynd i'r *garderobe* …

Owain: Dyma ni, Rhys. I mewn yn y castell. Cadw di dy lygaid yn agored a chyfra faint o filwyr sydd yma. Mae'r rhan yma'n edrych yn foethus iawn. Hisht, mae yn ei ôl.

GARDEROBES

Er mor fawr ydi'r hen gestyll, roedden nhw'n gallu bod yn rhai pur fychan os oedd byddin o fil o filwyr a'u gweision yno o dro i dro. Un broblem ymarferol i hynny oedd, yn syml iawn: 'Lle mae'r tŷ bach?!' Dychmygwch fod cant o geffylau yn y stablau yn un o'r buarthau – byddai aroglau'r tail yn eithaf pwerus. Felly lle'r oedd tai bach y cestyll mawr?

Wel, mae rhes o rai diddorol ar un rhan o wal allanol tref Conwy. Cynlluniwyd y rhain fel eu bod y tu allan i'r castell ei hun, gyda'r carthion yn cael eu gollwng y tu allan i fur y dref. Dychmygwch res o nythod gwenoliaid ...

Ond wrth gwrs, doedd dim disgwyl i breswylwyr y llety moethus i fynd ar hyd y waliau allanol pan ddeuai galwad natur. Câi siambrau preifat eu hadeiladu i mewn yn y waliau trwchus weithiau – mae enghraifft dda yng nghastell Dolwyddelan.

Ym Maenorbŷr a Choety, mae tyrau penodol ar gyfer y tai bach 'pwysig' wedi'u codi. *Garderobes* oedd gair y Normaniaid ar y cyfleusterau hyn – mae'n debyg bod dillad a phethau personol gwerthfawr yn cael eu cadw yno hefyd. Dyma fersiwn gynnar o'r 'wardrob'.

Syr Lawrens:	Ydych chi ar frys, gyfeillion? Does dim llawer o Normaniaid yn teithio'n bell yn y wlad ar hyn o bryd. Rydych chi'n ddewr iawn. Beth am ichi aros yma rai dyddiau i ddadflino a rhannu eich newyddion gyda mi?

Bydd yna ychydig o gerddoriaeth yma i ddangos fod amser yn mynd heibio.

Syr Lawrens:	Oes rhaid ichi fynd mor gynnar? Dim ond tri diwrnod a thair noson rydw i wedi eu cael yn eich cwmni.
Owain:	Gwaith yn galw, mae arnom ofn. Mae gennym orchwylion pwysig o'n blaenau.
Syr Lawrens:	Wrth gwrs, wrth gwrs. Mae dyletswyddau niferus gan ddau ŵr bonheddig deallus fel chi. Wel, *au revoir*. Hwyl fawr. Cofiwch gadw'n glir o afael yr hen Gymry barbaraidd yna.
Owain:	O, gallwch fentro mai mynd am y Normaniaid y byddwn ni.
Syr Lawrens:	Cyn ichi fynd, rwyf newydd sylweddoli nad wyf wedi cael eich enwau. Pwy ydych chi os gwelwch yn dda, i mi gael canmol eich cwmnïaeth ledled Morgannwg?
Owain:	Yr wyf fi, Owain Glyndŵr a'm cadfridog Rhys Gethin, yn ysgwyd eich llaw ac yn diolch ichi am eich croeso hael …
Syr Lawrens:	Y *garderobe*! O'r ffordd! Rhaid i mi fynd i'r *garderobe*…

Nifer o ddilynwyr: 1065

Catrin mêt Gwen
Edrych ymlaen at glywed eich acenion Ffrengig.

Tracs mêt Gruff
Twll y tu allan i'r wal – a hynny yn uchel, uchel. Dim diolch!

Mam-gu
Drama dda! Does dim yn well na thipyn o actio a chymeriadu i ddod â'r hanes yn fyw.

Wrth inni gerdded i mewn i gastell Harlech, gallem glywed sŵn saethu yn y coed yng nghefn y dref. "Rhywun yn saethu brain efallai?" awgrymodd Dad. "Mae'n dymor wyna ac mae rhai ffermwyr yn colli llawer o ŵyn i frain. 'Brain Harlech' maen nhw'n galw pobl y dref yma – mae'n debyg bod llawer o frain yn nythu yn y castell yma pan gafodd ei adael i adfeilio."

"Efallai mai adlais o hen frwydrau ydi'r saethu yna," meddai llais dwfn o dywyllwch y porth. Daw dyn barfog mewn gwisg o ledr du o'r cysgodion.

"Glywch chi'r saethu yna? Powdwr gwn," aeth yn ei flaen wedyn. "Dyna'r sŵn glywyd yn y castell yma dros chwe chan mlynedd yn ôl. Sŵn diwedd oes y cestyll. Ond dewch i mewn i'r buarth i weld gogoniant y lle yn gyntaf."

Fe'n harweiniodd i'r sgwâr mewnol, yna i fyny'r grisiau i gopa'r waliau. Roedd yr olygfa'n wych – mynyddoedd Eryri yn y cefndir, braich penrhyn Llŷn i'r gorllewin a Bae Ceredigion yn las o'n blaenau.

"Oes yna safle gwell na hwn i osod castell arno?" gofynnodd y dyn mewn du. "Y cyfnod pwysicaf yn hanes y castell yma oedd 1404–1410 pan gipiodd Owain Glyndŵr y lle a'i wneud yn ganolfan i'w Gymru newydd. Cynhaliodd senedd yma yn 1405. Roedd cynrychiolwyr o Sbaen, yr Alban a Ffrainc yn cael eu croesawu yma, ac ar y pryd roedd Cymru gyfan dan reolaeth Glyndŵr. Meddyliwch y cyffro oedd yma! Y fath nerth, y fath wychder. Mae gwreiddiau Cymru fodern wedi'u plannu yn y lle yma."

O grib y wal, edrychom i lawr ar y 108 o risiau sydd wedi'u hamddiffyn yn ofalus yn arwain o'r castell i lawr at waelod y graig arw y mae'r castell yn sefyll arni. Dyma'r ffordd at y môr. "Ond mae'r môr ymhell o fôn y graig," sylwodd Gwen.

"Ydi, erbyn heddiw," atebodd y dyn mewn du. "Ond yn yr hen ddyddiau doedd y twyni tywod acw ddim yno. Roedd traeth lle mae'r rheilffordd erbyn hyn. Gallai llongau gyrraedd troed y graig. A dyna'r ffordd y bu'n rhaid i Owain Glyndŵr ffoi oddi yma yn y diwedd."

CARTREF

....

Er mai adeilad milwrol ydi castell yn ei hanfod, roedd yn gorfod cynnig llety i uchel swyddogion a'u teuluoedd yn aml. Felly o fewn y cadernid allanol, moelni'r waliau trwchus a'r holl bensaernïaeth ddyfeisgar i amddiffyn y safle, roedd yn rhaid cael aelwyd oedd yn cynnig dipyn o gysur a moethusrwydd – yn ogystal â bod yn hollol ddiogel.

Yng nghastell Harlech y mae'r 'palas' hynaf, mwyaf ardderchog yng Nghymru yn ôl rhai. Mae'n wynebu'r gorllewin ac felly byddai haul y prynhawn a'r hwyr yn taro ar ei ffenestri. Gyda'r urddas cain sy'n perthyn iddo, mae'n debycach i un o dai'r bonedd yng nghefn gwlad na lloches mewn castell. Yma y cartrefodd pensaer cestyll Edward – James o St George – ar ôl cwblhau'r prosiect. Ef oedd cwnstabl cyntaf castell Harlech.

Yma y daeth Owain Glyndŵr â'i deulu hefyd yn anterth ei wrthryfel cenedlaethol. Roedd ganddo lys moethus yn Sycharth ac un arall yng Nglyndyfrdwy, ond ymosodwyd ar y rheiny a'u llosgi gan fab brenin Lloegr a'i fyddin yn 1403. Yng ngwanwyn 1404, disgynnodd castell Harlech i ddwylo byddin Glyndŵr wedi gwarchae hir ar y safle. Roedd gan yr arweinydd gartref newydd ysblennydd i'w wraig a'i blant a'u teuluoedd am y chwe blynedd nesaf.

"Ffoi?" meddai Gwen. "Gadael y pencadlys cadarn yma?"

"Ie. Sŵn y powdwr gwn. Dyna glywodd y Cymry oedd yma. Am dros flwyddyn, roedd byddin y brenin wedi dod â chanon mawr i Harlech ac roedd hwnnw'n tanio taflegrau carreg at y castell. Dychmygwch y sŵn. Dychmygwch y llanast wrth i'r taflegrau chwalu darnau o'r waliau neu lanio ar adeiladau'r buarth."

"Wyddwn i ddim bod powdwr gwn yn cael ei ddefnyddio yng ngwrthryfel Glyndŵr," meddai Gwen.

"Roedd gynnau mawr wedi cael eu defnyddio gan y ddwy ochr yn y Rhyfel Can Mlynedd yn Ffrainc. Mae'n bosib iawn bod Glyndŵr wedi talu i rai ddod drosodd yma gyda'r 3,000 o Ffrancwyr a ddaeth i'w gefnogi. Ond yma yn Harlech, a hefyd yn Aberystwyth, y gwnaeth y gynnau mawr yr argraff mwyaf. Roedd anferth o wn 5,000 pwys o'r enw y 'Negesydd' yn cael ei ddefnyddio gan fyddin brenin Lloegr i danio yn erbyn castell Aberystwyth yn 1407 ac ildiodd y Cymry'r castell yn 1408. Yna o 1408 ymlaen, roedd canon anferth o'r enw 'Merch y Brenin' yn saethu'i daflegrau yn erbyn canolfan Glyndŵr yma yn Harlech."

"Ac mi fu'n rhaid iddo ffoi i'r môr?" holodd Gwen.

"Doedd dim gobaith dal y castell. Powdwr gwn oedd diwedd oes y cestyll. Bu'n rhaid i Owain ffoi gydag ychydig o'i filwyr ffyddlonaf. Mi aethon mewn cwch o'r traeth i lawr yr arfordir i fyw mewn lle sy'n cael ei alw hyd heddiw yn Ogof Owain Glyndŵr."

"A'i wraig a'i deulu?" holodd Gwen.

"Fe gawson nhw eu dal a'u carcharu yn y Tŵr yn Llundain. Ond tra roedd Glyndŵr yn rhydd ac yn ei ogof, roedd gobaith i Gymru o hyd. Wnaeth neb ei fradychu."

Nifer o ddilynwyr: 1155

Draig mêt Gruff
Ogof Owain Glyndŵr – mi hoffwn i weld honno!

Gwcw mêt Gwen
Powdwr gwn – mae hwnnw'n creu llanast ac yn gwahanu teuluoedd o hyd.

Taid
Dyna stori newydd i mi am Owain Glyndŵr. Mae cymaint o hanes yn perthyn iddo!

Rydyn ni newydd ddychwelyd o gastell Penfro, lle cawsom chwip o daith dywys dda. Dyma oedd gan ein tywysydd i'w ddweud:

"Bore da. Fy enw i yw Rhys a fi yw eich tywysydd heddiw. Rydyn ni yn ne-orllewin Cymru, ar benrhyn ar lan afon Cleddau lle mae castell a thref Penfro. Mae'r enw yn dweud y cyfan – dyma ben draw Cymru, 'pen y fro'. Wrth adael Penfro bydd y daith yn mynd â ni i wledydd tramor.

"Dyna'n union ddigwyddodd i Harri Tudur yn 1471. Bachgen 14 oed oedd ar y pryd. Roedd ei daid, Owain Tudur, wedi priodi gweddw brenin Lloegr, Ffrances o'r enw Catrin o Valois. Doedd llawer yn y llys yn Llundain ddim yn hidio dim am y berthynas honno. Ers dyddiau Edward I a gwrthryfel Glyndŵr, roedd llawer o ddeddfau cosb yn erbyn y Cymry. Y Cymry oedd y genedl a gâi ei thrin waethaf yn Ewrop yn yr Oeseodd Canol – nid oedd y Cymry'n cael dal tir na swydd mewn unrhyw dref yng Nghymru na'r Gororau; ni chaent gario arfau nac amddiffyn eu tai na chyfarfod â'i gilydd yn dyrfa fawr heb ganiatâd. Ni chaent weinyddu'r gyfraith na barnu yn erbyn Saeson – ac os byddai Sais yn priodi Cymraes, byddai yntau'n colli pob hawl. Er mai Ffrances oedd Catrin o Valois, un o'r cyhuddiadau yn erbyn Owain Tudur oedd ei fod wedi priodi Saesnes heb ganiatâd. Yn y diwedd, torrwyd pen Owain Tudur druan i ffwrdd ar y sgwâr yn Henffordd.

"Roedd hyn yn ystod llawer o ffraeo a rhyfela rhwng Normaniaid Lloegr a Ffrainc. Rhwng 1350 a 1450 yn Ffrainc y bu'r brwydro – y Rhyfel Canmlynedd, fel y câi ei alw. Yna rhwng 1455 a 1485, roedd y rhyfela'n digwydd ar dir Lloegr a'r Gororau yn bennaf – Rhyfel y Rhosynnau oedd enw hwnnw. Erbyn y diwedd, roedd teuluoedd bonedd y Normaniaid bron â difa ei gilydd yn llwyr.

"Beth sydd a wnelo hynny â chastell ym mhen draw Cymru? Wel, yma yn 1457 y ganwyd Harri Tudur. Gan fod ei daid wedi priodi gweddw brenin Lloegr, a chymaint o'r teulu wedi'u lladd erbyn hynny, roedd ganddo hawl gref ar goron Llundain. Roedd eraill am ei waed oherwydd hynny ac yn 1471, aeth ei ewythr Siaspar ag ef mewn llong o Benfro i San Malo yn Llydaw. Bu'n llochesu yno am 14 mlynedd. Erbyn 1485, roedd y brenin amhoblogaidd Richard III ar orsedd

BANER

Roedd 'dangos dy liwiau' yn bwysig mewn cestyll ac mewn brwydrau. Roedd gan bob tywysog, pob arweinydd ei arfbais – tri eryr oedd arfbais Owain Gwynedd, pedwar llew yn sefyll oedd arfbais Llywelyn Fawr, a phedwar llew ar eu traed ôl oedd arfbais Owain Glyndŵr.

Yr hynaf o holl faneri gwledydd y byd ydi'r Ddraig Goch, sy'n defnyddio'r symbol sy'n mynd yn ôl i ddyddiau'r Rhufeiniaid. Bryd hynny, roedd pob adran o'r fyddin yn cario'r symbol o ddraig ar ei blaen ac enw'r milwr oedd yng ngofal hwnnw oedd y *draconarius*. Yn Gymraeg, daeth yr enw 'draig' i olygu 'y milwr ar flaen y gad' ac mae i'w gael yn enw tad y brenin Arthur, sef Uthr Bendragon.

Yr olaf o frenhinoedd y Cymry i reoli de Prydain gyfan oedd Cadwaladr ap Cadwallon, a fu'n teyrnasu hyd 688. Y Ddraig Goch oedd ei arfbais yntau ac mae sawl chwedl sy'n disgrifio draig goch (y Cymry) yn ymladd yn erbyn draig wen (y Saeson). Chwifiai byddin Glyndŵr ddraig aur yn eu hymgyrchoedd. Ond roedd y ddraig yn fwy nag arfbais i un arweinydd – roedd yn faner i'r genedl gyfan.

Pan orymdeithiodd Harri Tudur drwy Gymru ar ei daith o Benfro i Bosworth, cyfunodd y ddraig goch gyda lliwiau traddodiadol milwyr o Gymru ar faes y gad – gwyn a gwyrdd. Dyna liwiau'r genhinen, wrth gwrs – un arall o symbolau cenedlaethol y Cymry.

Ar long y *Mimosa* i Batagonia, gyda chorau meibion wrth iddyn nhw deithio i bob rhan o'r byd, ac ar grysau tîm merched pêl-droed Cymru, yr hen, hen Ddraig Goch sy'n amlwg o hyd.

Llundain gyda chryn dipyn o waed ar ei ddwylo, mae'n debyg.

"Dyma'r adeg i ddychwelyd i Gymru, meddyliodd Siaspar a Harri. Roedd digon yn Normandi a Llydaw yn fodlon eu cefnogi a glaniodd byddin o tua 3,000 o ddynion yn ne Penfro ar 7 Awst 1485. Yr hyn oedd yn arbennig am y fyddin hon oedd bod clamp o faner goch, gwyrdd a gwyn ar ei blaen. Gŵr o'r enw Wiliam Brandon oedd yn cludo'r Ddraig Goch, ac roedd hon yn tanio ysbryd y Cymry. Teithiodd y fyddin o Benfro i Fachynlleth, ar gyflymder da – rhyw 20 milltir y dydd.

"Aeth y newydd ar draws gwlad fel tân gwyllt. Cododd rhengoedd y Cymry o'r gogledd a'r de-orllewin, y de-ddwyrain a'r canolbarth. Trodd Siaspar a Harri i'r dwyrain ym Machynlleth a chyn croesi'r ffin am Amwythig, roedd Cymru bron yn gyfan y tu ôl i'w Ddraig Goch.

"Ar faes Bosworth yng nghanolbarth Lloegr ar 22 Awst, cyfarfu 7,000 o filwyr Harri Tudur gyda dros 10,000 o filwyr Richard III. Gwelodd Richard fod y Ddraig Goch uwch catrawd arbennig o'r fyddin, a gyrrodd ei wŷr meirch ar eu hunion yn eu herbyn. Gwyddai na fyddai Harri Tudur ymhell o'r faner honno. Lladdwyd Wiliam Brandon, cludwr y ddraig. Ond roeddwn i, Rhys ap Maredudd o Blas Iolyn, Pentrefoelas, wrth ei ymyl. Codais y Ddraig Goch i'r awyr. Cyrhaeddodd teulu'r Stanleys a'u rhengoedd o ogledd-ddwyrain Cymru faes yr ymladd ar yr union adeg honno. Roedd Cymru gyfan y tu ôl i'r Ddraig Goch unwaith eto. Lladdwyd Richard III a choronwyd ein dyn ni yn Harri VII. Ond i ni, y Ddraig Goch a gariodd y dydd y diwrnod hwnnw."

Am stori dda, ynte?

Nifer o ddilynwyr: 1268

Angel mêt Gwen
Oes modd cael fferi o Benfro i San Malo heddiw? Dyna daith braf, dwi'n siŵr.

Gwil mêt Gruff
Deddfau cosb y Cymry – am ffordd i drin pobl yn eu gwlad eu hunain!

Mam-gu
A dyna'r hen Ddraig Goch oedd gen i ym Mharc yr Arfau wedi cael blas ar ugain o gestyll Cymru!
Diolch o galon ichi, Gwen a Gruff.

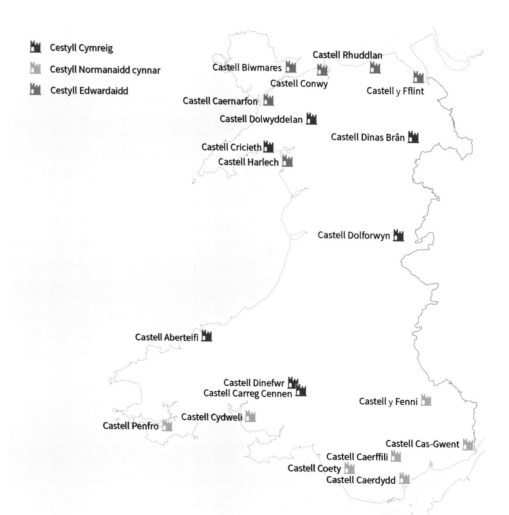

Cestyll Cymreig

Cestyll Normanaidd cynnar

Cestyll Edwardaidd

Castell Rhuddlan

Castell Biwmares

Castell Conwy

Castell y Fflint

Castell Caernarfon

Castell Dolwyddelan

Castell Dinas Brân

Castell Cricieth

Castell Harlech

Castell Dolforwyn

Castell Aberteifi

Castell Dinefwr
Castell Carreg Cennen

Castell y Fenni

Castell Cydweli

Castell Penfro

Castell Cas-Gwent

Castell Caerffili

Castell Coety

Castell Caerdydd